RISQUE ZÉRO

Traduit de l'anglais (États-Unis)
par Marie Cambolieu

Cet ouvrage a été réalisé par les Éditions Milan,
avec la collaboration de Claire Debout.
Mise en page : Petits Papiers
Création graphique : Bruno Douin

Titre original : *Rash*

300, rue Léon-Joulin, 31101 Toulouse Cedex 9, France
Loi 49-956 du 16 juillet 1949
sur les publications destinées à la jeunesse
www.editionsmilan.com
ISBN : 978-2-7459-2998-3

PETE HAUTMAN

RISQUE ZÉRO

Pour Tyler

Je jure fidélité
Au drapeau
De l'Union des États-Sécurisés d'Amérique
Et à la République
Qu'il représente
Une seule Nation
Sous l'œil de la Loi
Avec la Sûreté et la Sécurité
Pour tous.

Première partie
LE CAÏD

1

☞ Éloignez les objets pointus de vos yeux et de vos oreilles. Protégez vos sens !
Sammy Q.

Grand-Père, qui est né en 1990, m'a raconté que lorsqu'il avait mon âge, pour finir en prison aux États-Sécurisés (à l'époque où ça s'appelait encore « États-Unis »), il fallait voler, tuer ou consommer des drogues illicites.

– Des drogues illicites ? Comme la bière ?

J'ai fait un signe en direction de son breuvage maison.

Il a éclaté de rire.

– Non, Bo. La bière était autorisée à l'époque. Je te parle d'héroïne, de marijuana et de cocaïne. Ce genre de drogues.

– On envoyait les gens en prison pour *ça* ?

– Absolument.

La bière brassée « maison » de Grand-Père était l'un des secrets de la famille.

– Et pourquoi est-ce qu'on ne régénérait pas tout simplement leurs récepteurs de dopamine ?

– Ces technologies étaient inconnues à l'époque, Bo. C'était un monde différent.

– D'accord, mais les envoyer dans un camp de travaux forcés… ça me semble excessif.

– Pas plus que d'incarcérer une personne pour avoir jeté quelque chose sur la route.

– Les ordures sur la voie publique, c'est seulement une infraction de quatrième degré – on n'envoie pas les gens en prison pour ça.

– C'est pourtant ce qui est arrivé à monsieur Stoltz.

– Il a été inculpé pour agression. Il avait blessé Mélodie Haynes.

– Mais au fond, il a simplement laissé tomber quelque chose sur la route. Un abricot lui a échappé alors qu'il sortait les courses de son 4 x 4.

– C'est vrai, mais Mélodie a glissé dessus et s'est retrouvée avec un traumatisme crânien.

– Elle aurait dû porter son casque. Ce que je veux dire, Bo, c'est que cet homme a juste fait tomber un abricot et ils l'ont emprisonné pendant une année entière. Un an de travaux forcés dans une ferme de détention. Tout ça pour un abricot !

– Mais s'il ne l'avait pas fait tomber, Mélodie ne se serait pas cassé la figure.

Grand-Père pouvait être vraiment bouché, par moments.

– Peut-être, Bo. Toujours est-il que ce malheureux a perdu un an de sa vie pour un pauvre abricot.

Après quelques verres, Grand-Père devenait vite borné.

Cette année-là, cinq membres de ma famille, les Marsten, étaient en prison : mon père, mon frère, deux cousins et une tante.

Mon père avait été incarcéré en 73 pour agressivité au volant. Un type lui avait coupé la route et Papa l'avait rattrapé à l'intersection, était sorti comme une furie de sa voiture et s'était mis à taper du poing sur le capot du bonhomme, le tout accompagné d'un geste grossier. Ce n'était pas si grave, mais il en était déjà à son troisième PV pour agressivité au volant. On l'a condamné à cinq ans, selon la fameuse loi : « Au troisième avertissement, on t'embarque. »

L'an dernier, mon frère, Sam, a participé à une soirée illégale, après les résultats du bac, et s'est retrouvé mêlé à une bagarre. Le gamin qu'il a frappé a perdu une dent. Sam avait 17 ans.

Tel père, tel fils : il a pris deux ans. S'il avait été majeur, il aurait sans doute écopé de cinq ans, minimum.

Je n'ai jamais su ce qui avait conduit ma tante et mes cousins en prison. Dans la plupart des foyers, lorsqu'on a de la famille incarcérée, c'est tabou. C'est gênant. Mais avoir cinq proches dans le système carcéral, ça n'a rien d'extraordinaire. Selon le quotidien *USSA Today*, 24 % de la population adulte du pays est actuellement en prison. Ma famille est simplement un peu plus criminelle que la moyenne.

On a envoyé Papa dans une ferme aquatique pénitentiaire de Louisiane. Dans l'un de ses messages, il nous avait expliqué qu'à sa sortie, il aurait décortiqué pas moins de vingt millions de crevettes. Son message était accompagné d'une vidéo d'une trentaine de secondes où on le voyait debout à son plan de travail, avec des gants bleus jusqu'aux coudes, en train de déchiqueter des crustacés. Sam, lui, travaille avec une équipe de chantier sur les routes du Nebraska, au milieu de nulle part, et rebouche les trous sur les autoroutes.

Bien sûr, si les gens comme nous, les Marsten, n'existaient pas, il n'y aurait personne pour effectuer les travaux manuels qui font tourner le pays. Sans les détenus, qui serait employé dans les chaînes de fabrication ? Qui ferait les saisons de melons, de pêches ? Qui entretiendrait les rues, les jardins et les toilettes publiques ? Notre économie est bâtie sur l'activité pénitentiaire. Sans elle, tout le monde serait obligé de travailler – que ce soit ou non de plein gré.

Bref, là où je veux en venir, c'est que vu mon contexte familial, j'aurais dû apprendre à me maîtriser. Il suffit d'un quart de seconde pour que les nerfs lâchent et *paf*, on se retrouve sans savoir comment à démembrer les crevettes. Mais sur le moment… Enfin, si vous ouvrez quelques livres d'histoire, vous verrez que je ne suis pas le premier à avoir perdu les pédales à cause d'une fille. Prenez tous ces Grecs, morts pour Hélène de Troie. Est-ce qu'ils se maîtrisaient, eux ?

2

On ne peut pas vraiment dire que j'étais un élève modèle. Les grandes dates de l'histoire refusaient d'adhérer à mon cerveau. Les sciences et les maths, ça me barbait. Quant aux sciences humaines, il valait mieux oublier. Je n'aurais jamais pu être psy, médecin ou politicien. Je n'avais pas la patience nécessaire.

Dans les matières artistiques, ça n'allait pas vraiment mieux : la peinture, la sculpture et la musique, c'était pas mon rayon. Personne n'excellait véritablement dans ces domaines. L'art était plus intéressant au millénaire dernier, avant qu'on ne découvre comment soigner la dépression, la schizophrénie et ce genre de choses. Aujourd'hui, tout le monde a les idées plus ou moins claires, et autant vous dire que l'art est aussi passionnant que de la bouillie d'avoine sous cloche.

À en croire mon évaluation de perspectives professionnelles de seizième année, j'aurais dû orienter mon premier choix de carrière vers un emploi correctionnel. Je pense que cela signifiait que j'aurais fait un bon gardien de prison. Ou alors un bon prisonnier. De toute façon, avec une industrie aussi prospère que les institutions pénales, je n'aurais eu aucun problème pour y trouver un poste si je l'avais voulu.

La seule chose pour laquelle j'étais vraiment doué, c'était la course à pied. Personne n'était plus rapide que moi à Washington Campus sauf, peut-être, cet insupportable Karlohs Furey. Je pouvais courir le 50 mètres en 8 secondes et le 100 mètres en moins de 14 secondes.

À dire vrai, le jour où ça a bardé avec Karlohs Furey, je comptais bien battre le record du lycée des 13 secondes 33 pour le 100 mètres.

Karlohs et moi, on n'était pas vraiment copains. Même avant qu'il ne se mette à regarder Maddy Wilson d'un peu trop près, il m'insupportait déjà. D'abord, la manière dont il épelait son prénom m'irritait au plus haut point. Ensuite, je haïssais son rictus de fouine. Sans parler de sa coupe de cheveux asymétrique, prétentieuse au possible, genre années 2060. La seule chose qui me plaisait chez lui, c'était son nom : Furey. Il était l'homonyme de ces mini-belettes aux minuscules yeux noirs et à l'odeur plus que désagréable, et ça lui allait comme un gant.

Mais je n'aurais jamais touché à son petit museau de fouine. Enfin, pas au début. Pas avant qu'il ne se mette à fouiner du côté de Maddy Wilson.

J'avais appelé Maddy, ce matin-là, pour lui dire que j'étais sur le point de battre un nouveau record pour le 100 mètres au lycée.

– Oh, Bo !

Son visage rieur illuminait l'écran de mon WindO.

– Ce que tu peux être drôle !

J'ignore ce qu'elle provoquait chez moi. Mais chaque fois que je voyais sa bouche et ses yeux, ils déclenchaient quelque chose. Il me fallait à tout prix l'impressionner.

– Je suis sérieux, Mad. Je vais battre un nouveau record.

– Karlohs et toi, vous êtes complètement ridicules.

– Karlohs ? Qu'est-ce qu'il vient faire là-dedans ?

– Vous êtes tous les deux obsédés par l'idée de gagner.

– Peut-être. Mais moi j'ai un ours à mes trousses.

– Oh, Bo ! Toi et ton histoire d'ours !

Lorsque Grand-Père allait au lycée, les ados étaient plus rapides. Grand-Père affirme avoir couru le 100 mètres en 11 secondes, et le kilomètre en 2 minutes 53 secondes. C'était avant la loi de Sûreté infantile de 2033. Aujourd'hui, tous les coureurs du lycée doivent porter un équipement de protection complet. Des chaussures ProtAthlon avec un support latéral pour les chevilles et quatre couches de gel de silicone cohésive dans l'épaisseur des semelles, des genouillères, des coudières, une minerve, un protège-dents, un moniteur cardiaque au poignet, ainsi qu'un casque de sport homologué par le MFSSSI. On s'entraîne sur une piste en Adzorbium®, avec ses cinq centimètres de mousse colloïde compactée recouverts d'une épaisse couche de latex artificiel. On a l'impression de courir sur de l'éponge.

Avant la loi de Sûreté infantile, plusieurs dizaines d'accidents survenaient pendant les entraînements sportifs à l'école. Les lycéens décédaient d'insolations, de fractures du crâne, de crises cardiaques, ou de fracture des cervicales. Aujourd'hui, les sportifs sont autant en sécurité sur le terrain d'athlétisme qu'assis dans leur salle de classe.

Grand-Père trouvait ça ridicule.

– Pourquoi ne pas carrément vous coller dans une pièce en caoutchouc et voir qui piétine le plus vite ? Nous, on courait sur une piste en cendrée – sans casque, sans gel colloïde, rien d'tout ça.

J'ai essayé d'engager une discussion :

– Mais Grand-Père, ça n'enlève rien à l'exercice physique. Au fond, entre l'équipement et l'Adzorbium, on doit probablement fournir deux fois plus d'efforts, mais au moins, personne ne se blesse.

– Et personne ne court bien vite non plus. Est-ce que je t'ai déjà montré mes vieilles chaussures d'athlétisme ?

– Oui, Grand-Père, je les ai vues.

Grand-Père conservait ses baskets dans une boîte au fond du garage. De temps à autre, il les ressortait, nous les agitait sous le nez en rabâchant son discours sur l'époque des « vrais » sportifs. Impossible de discuter lorsqu'il se mettait dans cet état.

– Écoute, Grand-Père, si tout le monde respecte les règles, ce sont toujours les meilleurs athlètes qui remportent les trophées.

– Et c'est pour ça que tu cours, Bo ? Pour des trophées ? Bon sang, quand j'étais môme, ce qui nous faisait galoper, c'était la trouille de se faire rattraper. On jouait au football américain, à l'époque. Au *vrai* football. Celui où on se faisait plaquer.

Le football américain est devenu illégal bien avant ma naissance. J'ai vu des enregistrements de vieux matchs, et je comprends pourquoi on l'a interdit. Le seul endroit où on le pratique encore, c'est en Amérique du Sud, dans des pays comme le Colombistan ou le Paraguay.

– Eh oui, il fallait courir aussi vite que possible ou bien se faire massacrer !

Grand-Père avait bu plus d'une bière ce jour-là.

– Mais bien sûr. Et qui voulait te manger ?

– Tu serais surpris, mon p'tit gars. C'était le XXe siècle. Il y avait des ours partout.

– Des ours te poursuivaient ?

– Ben tiens !

– Tu penses vraiment que je vais avaler ça ?

– Alors ça, mon garçon, quand on voit ce que vous êtes prêts à avaler, vous, les jeunes, aujourd'hui… tu serais bien capable de croire n'importe quoi. Mais je te donne un conseil : tu veux courir plus vite ? Imagine que tu as un grizzly aux fesses.

3

D'après notre entraîneur, M. Hackenshor, j'avais de l'avenir dans la course de fond, mais pour poursuivre dans cette voie, il fallait que j'attende de passer mon bac. Pour des raisons de sécurité, les courses de plus d'un kilomètre sont interdites au lycée.

Le jour où ça a bardé avec Karlohs Furey, nous passions les éliminatoires de la rencontre d'athlétisme avec l'école de Grave Academy. Je me sentais particulièrement en forme et rapide ce matin-là. Tout en enfilant mon équipement, je m'imaginais filer à l'autre bout du terrain : mes chaussures, qui s'enfonceraient dans le revêtement spongieux de l'Adzorbium, mes bras, qui battraient l'air, et le vent, qui sifflerait à travers les interstices du casque. Tout en attachant mes genouillères, je visualisais mes jambes comme des pistons, et chaque foulée me propulserait à des vitesses inimaginables. Je laisserais Karlohs Furey dans mon sillage, écarlate et à bout de souffle.

Treize secondes de course effrénée, c'est long. La plupart des coureurs commencent par se ménager et n'atteignent leur vitesse de pointe qu'à la moitié du parcours. Moi, je préférais la technique de Grand-Père : courir comme si j'avais un grizzly aux fesses.

Nous étions quatre, prêts à partir : Matt Gelman, Ron White, Karlohs Furey et moi. Nous faisions les cent pas autour des starting-blocks, en attendant que Hackenshor nous donne nos positions pour les premières éliminatoires. Il n'était que 10 heures du matin, mais il faisait déjà très chaud. Une sensation gluante, poisseuse, émanait de l'Adzorbium et je transpirais. J'ai senti un picotement au niveau des genoux et j'ai alors réalisé que j'avais oublié les protections à placer sous les genouillères. Plus le temps de retourner les enfiler, même si ces protections sont obligatoires. Elles empêchent les irritations. Mais j'avais seulement le 100 mètres à courir, Hackenshor ne s'apercevrait de rien. J'ai consulté le moniteur à mon poignet. Rythme cardiaque : 62 battements par minute. Température du corps : 37 °C. Température extérieure : 25,5 °C. Si le thermomètre continuait à grimper, ils annuleraient les épreuves. Les conditions n'étaient pas idéales pour battre un nouveau record, mais j'allais donner le maximum. J'avais même volontairement oublié ma dose matinale de Levulor®.

J'étais sous Levulor depuis l'âge de 12 ans. Les trois quarts des élèves de mon école en prenaient. C'est simple, il suffit de faire une crise de colère après l'âge de 10 ans et on y a droit. Le Levulor retarde le déclenchement de l'agressivité – il donne un dixième de seconde supplémentaire pour réfléchir avant d'agir. Mais cela retarde aussi tous les autres réflexes, même les bons, et j'avais l'habitude de ne pas en prendre les jours de rencontres sportives et d'éliminatoires.

Karlohs Furey, qui se targuait de n'avoir jamais eu besoin de Levulor, était mon seul adversaire dangereux sur le 100 mètres. Il avait des jambes plus longues, il était plus rapide, plus endurant, et il le savait. Mais il manquait quelque chose à Karlohs.

Il n'avait pas de grizzly aux fesses.

Furey m'a alors interpellé :

– Hé, Marsten, il paraît que t'as prévu de battre un nouveau record.

Je ne m'attendais pas à cela.

– Et d'où tu tiens ça ?

– Maddy m'en a parlé, a-t-il susurré avec son petit rictus stupide et sournois.

Maddy ? Depuis quand fréquentait-il Maddy ? Et, plus important : pourquoi lui avait-elle raconté des histoires à mon sujet ?

– Je vais faire de mon mieux, ai-je répondu, balayant sa remarque d'un haussement d'épaules.

En apparence, j'étais d'un calme olympien, mais intérieurement, je bouillonnais.

Il me cherchait, je le savais. Maddy Wilson était *ma* copine. Réunir Maddy et Karlohs dans une même pensée suffisait à me faire sortir les crocs.

– Elle dit que quand tu cours, tu t'imagines qu'un ours te poursuit, a insisté Karlohs, souriant jusqu'aux oreilles.

– Je ne vois pas de quoi tu veux parler, ai-je rétorqué, en lui retournant son sourire.

En moi-même, je hurlais. Maddy ! Qu'est-ce que tu as fait ! Comment as-tu pu répéter à Karlohs Furey les choses que je ne dis qu'à toi ? Évidemment, j'avais parlé à Maddy de la technique du grizzly. Et je m'étais vanté de pouvoir établir un nouveau record. Mais pourquoi avait-elle partagé ces secrets avec Karlohs ?
Matt et Ron tendaient l'oreille.
– Quel ours ? a demandé Matt.
– Il imagine qu'un ours lui court après.
– Non, c'est faux.
– Et ça marche ? a insisté Ron.
– Il n'y a pas d'ours, ai-je coupé.

Hackenshor a donné un coup de sifflet et nous nous sommes positionnés sur les starting-blocks. Ma colère réprimée s'était changée en nausée. J'avais les genoux en coton et mon équipement semblait peser une tonne. Karlohs me regardait, toujours avec sa moue de fouine. Hackenshor a crié et, avant que je ne sois prêt, j'ai entendu la détonation du pistolet de départ. Karlohs avait jailli des starting-blocks avant même que l'information ne soit transmise à mes jambes. Lorsque je me suis enfin élancé, l'Adzorbium adhérait à mes semelles et, déjà, l'angoisse d'arriver dernier m'obsédait. J'ai vu le maillot de Furey, un 19 d'un bleu éclatant sur fond jaune, s'échapper et me distancer d'une longueur. Je pilonnais l'air avec les bras et mes genouillères, coudières et chevillières battaient dans le vent. Mais mes jambes étaient de plomb. Je me suis rappelé le grizzly, mais trop tard : il avait perdu de sa vigueur. Karlohs avait tué la bête imaginaire. Loin de le rattraper et de pulvériser la compétition, j'ai regardé l'écart se creuser davantage.

J'ai fini bon dernier, avec un temps particulièrement humiliant de 14 secondes 39.

À l'arrivée, Karlohs s'est dirigé vers moi, la main tendue.

– Jolie course.

– Écoute-moi bien, Furey, ai-je lancé en détachant mon casque, je ne veux pas que tu approches Maddy.

J'ai retiré complètement mon casque.

Furey a ouvert de grands yeux, l'air faussement surpris.

– Pardon ? Il ne me semble pas avoir besoin de ta permission pour parler à qui que ce soit.

– Tiens-toi à l'écart.

Karlohs a enlevé son casque et son visage n'était qu'un énorme rictus. Il a éclaté de rire. C'est là que j'ai perdu patience.

J'ai jeté mon casque par terre.

– Maddy n'a rien à faire avec un petit caïd prétentieux dans ton genre, lui ai-je jeté à la figure. Tu la laisses tranquille, c'est compris ? Tu gardes ta bouche en cul de chien loin d'elle, pigé ?

Karlohs a chancelé en arrière comme si on l'avait frappé. L'espace d'un instant, un sentiment de satisfaction m'a envahi, suivi d'une sensation de nausée immédiate. Je savais que j'étais allé trop loin, même si c'était vrai : sa bouche faisait vraiment penser à l'arrière-train d'un cabot. Mais une attaque verbale portant sur l'apparence physique était une infraction de troisième degré.

Les yeux de Karlohs pétillaient et ses lèvres en forme d'anus se sont élargies pour sourire. Ramassant mon casque, j'ai fait demi-tour en m'éloignant, avec un poids dans l'estomac et un picotement dans la nuque. J'en étais déjà à deux infractions.

Au troisième avertissement, on t'embarque.

4

J'espérais que ma petite incartade avec Karlohs serait sans conséquence. Sans doute avait-elle été enregistrée par les capteurs de sécurité placés sur le terrain d'athlétisme, mais les agents du département de la Santé, de la Sûreté et de la Sécurité ne pouvaient quand même pas rester plantés devant les écrans de contrôle 24 heures sur 24.

Je n'étais cependant pas rassuré.

L'hiver dernier, j'avais eu tout un tas de problèmes pour avoir jeté un crayon dans la classe pendant le cours d'arts plastiques de Mme Hildebrand. Nous devions dessiner une nature morte. D'où vient cette manie qu'ont les gens, depuis des siècles, de dessiner des natures mortes ? Pourquoi ne pas tout simplement utiliser un imagier ?

Bref. J'avais remarqué que Matt Gelman, assis deux rangées plus loin, avait cassé la mine de son crayon. J'en avais justement un et j'ai attiré son regard avant de le lui lancer. Mais j'ai raté mon coup. Le crayon est passé largement au-dessus de Matt et s'est logé, la pointe la première, sur le front de Ty Green. Ty s'est mis à hurler, Mme Hildebrand a paniqué et je me suis retrouvé avec une avalanche de problèmes. Personne n'a voulu croire à un accident. On m'a accusé d'agression de deuxième degré et placé en liberté surveillée pendant un mois. Depuis, l'école a interdit les crayons à papier.

Premier avertissement.

Quelques mois plus tard, j'étais en retard à l'entraînement. J'ai sprinté dans le hall qui menait au vestiaire. Il est évidemment défendu de courir dans l'enceinte du lycée, mais le couloir était quasiment désert et j'étais pressé. Ce type débile de terminale m'a rattrapé pour me rappeler à l'ordre. Je ne sais pas ce qui m'a pris. Je lui ai dit de se mêler de ses oignons. Ah oui : je l'ai aussi poussé contre le mur. Il s'en est sorti avec une légère bosse sur le crâne et j'ai écopé d'un renvoi d'une semaine.

Deuxième avertissement.

Le vrai responsable, c'était mon père. Les autres semblaient finir le lycée sans le moindre problème. Mais ils n'avaient pas hérité des gènes Marsten, eux. Mon père aurait dû savoir que ses enfants iraient tout droit en prison. Il connaissait son caractère difficile. Certaines personnes ne devraient pas se reproduire et il en était la preuve vivante.

Peut-être que lorsqu'il a décidé d'avoir des enfants, il ignorait qu'il finirait lui-même en prison, mais ça n'en restait pas moins sa faute. J'aurais aimé qu'il ne fasse pas partie de moi.

Après la douche, j'ai filé en cours d'histoire de l'UESA, avec Mme Martinez. On étudiait les années 2030 – une décennie aussi barbante que possible. J'essayais de me persuader qu'il ne m'arriverait rien. Du moment que Karlohs tenait sa langue, je pensais pouvoir m'en tirer.

Les années 2030 n'étaient pas réellement la décennie la plus barbante. Il y avait pire: les années 2070. Le pays n'a plus connu de guerre ou de grande catastrophe naturelle depuis 2059, l'année précédant ma naissance; l'année où la Croisade des fondamentalistes chrétiens a fait exploser une bombe télécommandée sur le mémorial de Lincoln, à Washington, et l'a réduit en cendres d'un seul coup. Selon les terroristes de la CFC, la Bible interdit le culte de la représentation sur les tombes. Pour autant que je sache, c'est la dernière chose un tant soit peu palpitante qui se soit produite aux États-Sécurisés.

Mme Martinez a commencé par nous parler des révoltes armées de 2039, qui semblent bien plus passionnantes qu'elles ne le furent en réalité. N'allez pas vous imaginer que les gens sont descendus dans la rue et se sont tirés dessus dans tous les sens: les révoltes armées ont eu lieu sur le C-espace. Un groupe extrémiste de collectionneurs d'armes, la NRA, a lancé une attaque de spam, bloquant des serveurs sur plusieurs continents. Finalement, au lieu de populariser leur message, les extrémistes n'ont réussi qu'à faire enrager toute la planète. Les commissariats étaient submergés d'appels de citoyens mécontents, qui se dénonçaient les uns les autres, s'accusant mutuellement d'être des fondus de la gâchette, ce qui poussa le gouvernement à une confiscation totale des armes, à l'échelle nationale. Si la police venait à découvrir que

Grand-Père cache un fusil de chasse sous son lit, il finirait ses jours dans une ferme de détention placée sous haute surveillance.

Mon esprit vagabondait et j'essayais d'imaginer l'époque où les gens possédaient des armes à feu et se tiraient dessus à tout bout de champ. Il fallait quand même être sacrément perturbé pour vouloir abattre quelqu'un.

Je ne l'aurais même pas souhaité à Karlohs Furey.

– Bo.

J'ai cligné des yeux et me suis redressé sur ma chaise.

– Interro surprise, Bo, a répété Mme Martinez.

Toute la classe s'est penchée vers son écran de WindO. J'ai ouvert le mien et lu la première question :

1. Quelle loi fut ratifiée par le Congrès le 13 septembre 2033, grâce au célèbre proverbe « Cent ans de santé pour chaque homme, femme et enfant » ?

Ça, c'était facile. J'ai tapé la réponse.

La loi de Sûreté infantile.

La suivante était plus difficile.

2. Laquelle de ces infractions était légale avant 2023 ?

a. La consommation d'alcool.

b. La possession de chien dangereux dans le cadre privé.

c. La chasse.

d. La défécation publique.

e. La conduite sans filet de sécurité.

f. La pratique de la boxe.

g. La possession de tronçonneuse.

Je n'en avais pas la moindre idée. Chacune de ces infractions me paraissait particulièrement scandaleuse. C'était probablement une question piège. J'ai répondu :

Aucune d'entre elles.

Question suivante :

3. En quelle année le président Denton Wilke a-t-il signé une loi interdisant les piercings, les tatouages, les marquages au fer et toute autre forme d'automutilation ?

Je ne connaissais pas non plus la réponse, mais puisqu'on étudiait les années 2030, j'avais une chance sur dix de bien tomber. J'allais tenter 2035 lorsque l'écran de mon WindO s'est assombri avant de se rallumer en affichant un message personnel :

VEUILLEZ VOUS PRÉSENTER IMMÉDIATEMENT AU BUREAU DE M. LIPKIN AU DÉPARTEMENT DE LA SANTÉ, DE LA SÛRETÉ ET DE LA SÉCURITÉ INTÉRIEURE.

5

M. Lipkin, sanglé dans son fauteuil de survie, était connecté à un multirécepteur. Assis sur le banc capitonné qui longeait le mur de son bureau, j'attendais qu'il me remarque. Cela pouvait lui prendre un certain temps. Le multirécepteur le reliait aux capteurs placés dans chaque salle, couloir, placard et secrétariat de l'école. Il devait probablement avoir du mal à se déconnecter de tout ça. Je me suis mis à l'aise tout en réfléchissant à une tactique de défense.

À Washington Campus, les attaques verbales ne sont pas prises à la légère. Prétendre que j'avais été clairement provoqué ne servirait à rien. Quoi que Karlohs ait pu me faire ou me dire, mon attaque verbale relevait de l'infraction de troisième degré. Pour m'en sortir, il me fallait convaincre Lipkin que je plaisantais lorsque j'avais traité Karlohs de « caïd prétentieux ». Je serais sans doute sanctionné pour avoir insulté Karlohs, mais si je parvenais à prouver que c'était sans intention méchante, j'éviterais au moins le reclassement en infraction. Et pour cette histoire de « bouche en cul de chien », je pourrais expliquer que je trouve les culs de chien magnifiques. Lipkin ne serait certainement pas prêt à avaler ça, mais je pourrais peut-être m'en tirer avec un avertissement.

Après m'avoir fait patienter plusieurs minutes, Lipkin a retiré le multirécepteur branché sur sa tempe et l'a rangé dans le compartiment situé dans le bras de son fauteuil. C'était un Roland Longévital, dernier cri. Peu de personnes du corps enseignant pouvaient se payer ces fauteuils de survie à 5 millions de V-dollars, à moins d'avoir une fortune personnelle ou d'avoir gagné un procès avec dommages et intérêts. D'une certaine manière, si on a les moyens, ça paraît logique. À en croire le fabricant, le Roland Longévital prolonge la vie de son occupant d'une durée moyenne de dix-sept mois. À condition bien sûr d'être prêt à rester les fesses plantées sur le siège 24 heures sur 24.

Lipkin a pressé un bouton sur le bras. Le fauteuil a pivoté de quelques degrés pour se positionner face à moi puis remonter. La tête de Lipkin se trouvait alors à la même hauteur que s'il avait été debout, et je dus pencher la mienne en arrière pour apercevoir son menton tremblotant.

– Bo Marsten, a-t-il susurré d'une voix aiguë, une fois de plus vous avez été incapable de contrôler vos pulsions antisociales.

– Je suis désolé, ai-je répondu.

– Nous avons répertorié cinq infractions. Voulez-vous que je vous les signifie ?

– Ce ne sera pas nécessaire, monsieur, ai-je dit. Je sais que je suis dans mon tort.

– Dans votre tort? Il semble que vos actes soient plus graves que cela, Bo.

Il s'est tu quelques secondes, m'offrant la possibilité de répliquer mais, pour une fois, j'ai gardé le silence.

Les yeux rivés sur le WindO fixé au bras gauche de son fauteuil, Lipkin a entamé sa litanie.

– Premièrement, vous avez traité Karlohs Furey de «caïd prétentieux». Savez-vous ce qu'est un caïd, Bo?

– Pas vraiment.

– C'est un mot dérivé de l'arabe qui signifie «commandant» ou «chef», mais dans l'argot moderne, il a pris le sens de «mauvais garçon». C'est une expression qu'affectionnent les classes inférieures – les criminels, les incompétents, les abrutis et les réactionnaires. Ce n'est pas un terme qu'on a l'habitude d'entendre dans les couloirs de Washington Campus. N'êtes-vous pas d'accord avec moi?

– Sans doute.

– Que ressentiriez-vous si quelqu'un vous traitait de mauvais garçon prétentieux?

– Ça ne me plairait pas tellement.

– Au fond, le fait d'appeler monsieur Furey un «caïd prétentieux» constituait une attaque verbale avec intention d'infliger un préjudice moral, n'est-ce pas, Bo?

– Je n'étais pas sérieux. Je ne voulais pas vraiment l'insulter.

– Deuxième infraction: vous avez, dans un but hostile et malveillant, comparé la bouche de monsieur Furey à une partie peu ragoûtante de l'anatomie canine.

– Techniquement, c'est exact, ai-je argué. Vous comprenez, j'ai remarqué que lorsqu'il sourit, sa bouche se crispe et ressemble un peu à… euh… à l'arrière-train d'un chien. Je ne voulais rien sous-entendre de méchant ; j'ai juste noté une ressemblance.

– Deuxième attaque verbale, donc, a poursuivi Lipkin, en touchant du doigt l'écran du WindO. Ce qui nous amène à la troisième infraction. Avez-vous pris votre Levulor, Bo ?

– Euh… oui.

– Faut-il que j'ordonne une analyse de salive ?

– Il est possible que j'aie oublié de le prendre ce matin.

– Sauter une prise de Levulor est une entorse au règlement intérieur, Bo.

– Je sais.

On se défend difficilement de manquer une prescription médicale, mais officieusement, les oublis sur un ou deux jours ne sont jamais considérés comme graves.

– Prenez votre Levulor, Bo.

– Maintenant ?

– Maintenant.

– Oui, monsieur.

J'ai détaché mon Médipack de ma ceinture et sorti une pilule bleue du distributeur, que j'ai placée sous la langue. Elle a fondu instantanément.

Lipkin a hoché la tête et ajouté :

– Quatrièmement, vous n'aviez pas l'équipement adéquat pour l'entraînement d'athlétisme cet après-midi.

– Ah.

Je ne pensais pas qu'ils auraient remarqué l'absence de protections pour genouillères. Ces caméras de surveillance semblaient plus perfectionnées que je ne l'imaginais.

– Je me suis changé en vitesse.

– Ce n'est pas une raison valable.

– Je sais.

Lipkin a fixé d'un air maussade son WindO, en secouant légèrement la tête.

– Cinquièmement, nous avons une tentative de destruction de matériel appartenant à l'école.

– Ah?

Pour le coup, j'étais surpris.

– Vous avez jeté votre casque sur le sol, n'est-ce pas?

– Attendez un peu, ces casques sont conçus pour être indestructibles. Je ne voulais pas le casser, je l'ai juste laissé tomber!

– Vous l'avez jeté.

– C'était sans mauvaise intention.

– Peut-être pas.

Lipkin s'est éclairci la gorge puis a froncé les sourcils en consultant son WindO.

– Je me vois toutefois dans l'obligation de faire un rapport auprès du ministère fédéral de la Santé, de la Sûreté et de la Sécurité intérieures.

Il m'a regardé en souriant, et sa bouche entrouverte m'a brusquement fait penser à un chien qui pète. Mais cette fois-ci, j'ai préféré ne pas faire de remarque.

6

J'aurais dû rentrer directement chez moi, en sortant du lycée, mais toute cette histoire avec Karlohs m'avait ébranlé. J'étais peut-être sur le point de prendre six mois de travaux forcés dans une ferme pénitentiaire, tout ça parce que Maddy était incapable de tenir sa langue. Il fallait que je lui en parle. Il fallait au moins que je sache s'il y avait quelque chose entre elle et Karlohs. Alors, j'ai fait un détour par chez elle.

Elle était dans le jardin, derrière la maison, le visage dissimulé sous un voile de protection, avec une paire de gants en cuir épais aux mains.

– Salut Mad, ai-je lancé en retirant mon casque.

– Bo ! Tu m'as fait peur !

– Désolé. Qu'est-ce que tu fais ?

– Je cueille des fleurs. Tu ne devrais pas rester ici sans voile.

– Pourquoi ça ?

– Ma mère a aperçu une abeille ce matin dans le jardin.

J'ai fait un pas en arrière et regardé autour de moi.
– Je ne vois pas d'abeille.
– Il vaut mieux ne pas prendre de risque. Il y a un autre voile de protection à la maison. Je vais le chercher.
– Je vais tenter ma chance.
– Tu pourrais te faire piquer.
J'ai haussé les épaules.
– Je m'en fiche.
– Oh, Bo ! Tu es quelqu'un d'imprudent, tu le sais, ça ?
– C'est faux.
– J'ai entendu dire que tu avais attaqué Karlohs.
– Il l'avait cherché. Il a… Et toi…
J'ai marqué une pause et repris ma respiration. Le Levulor commençait à agir.
– Moi quoi ? a-t-elle demandé en relevant son voile.
Maddy Wilson ressemblait à une poupée : de longs cheveux d'un noir lustré, de grands yeux sombres qu'elle clignait souvent et deux lèvres si roses et si délicates que lorsque je les regardais, mon cœur s'arrêtait, ma gorge se nouait et je devenais un parfait imbécile. J'aurais dû m'estimer heureux d'avoir une copine comme elle. Mais il fallait que je sache pour Karlohs.
– Pourquoi as-tu parlé de ma technique de course à Karlohs ?
– Ta quoi ?
Elle a de nouveau cligné des yeux. Le coin gauche de ses lèvres s'est légèrement relevé, dans un demi-sourire.
– Tu lui as parlé de l'ours.
– Ah ! ton histoire d'ours…

Elle a levé les yeux puis détourné le regard.

– En fait, on discutait et puis…

– Pourquoi est-ce que tu discutais avec Karlohs ?

– Qu'est-ce que tu sous-entends ? Que je n'ai pas le droit de parler avec qui je veux ?

J'ai secoué la tête, puis senti comme un moment de flottement. L'effet du Levulor ralentissait de nouveau mon raisonnement. Je fixais le parterre de fleurs. Un minuscule insecte orangé voletait au-dessus des corolles jaunes.

Ma bouche m'a semblé s'entrouvrir.

– Je n'aime pas que tu répètes tout ce que je te raconte. Surtout à ce petit caïd de Karlohs Furey.

– Bo ! Comment tu peux dire une chose pareille ?

– Je le lui ai déjà dit en face. Et c'est vrai. C'est un caïd.

– Non, c'est faux. C'est un gentil garçon.

– C'est un caïd et ça ne me plaît pas que tu discutes avec lui.

Elle s'est rapprochée légèrement et a examiné mon visage cramoisi.

– Bo ?

Un petit sourire s'est dessiné sur ses lèvres.

– Tu es jaloux ?

– Non !

C'était pourtant vrai. J'étais jaloux au point de vouloir m'arracher le cœur et de le moudre à même le sol. Aucune dose de Levulor n'était assez forte pour réprimer cela. Je me concentrais sur l'insecte. Est-ce que c'était une abeille ?

– Bo, qu'est-ce que tu vas devenir ?

– Lipkin a fait un rapport. Je serai peut-être incarcéré, mais j'espère m'en tirer avec un avertissement écrit du MFSSSI. Et en attendant, je suis de nouveau sous probation.

– Oh, Bo…

Elle a posé une main gantée de caoutchouc sur ma poitrine.

– Je me fais du souci pour toi.

– Alors, tiens-toi loin de Karlohs.

Elle a immédiatement retiré sa main.

– Tu n'as pas à me dire ce que je dois faire.

– Je vais me gêner !

Son visage s'est durci.

– Tu ferais mieux de t'en aller, Bo.

J'ai ouvert la bouche pour répliquer, lui lancer quelque chose de blessant, mais pendant cette seconde décisive, le Levulor a une fois encore perturbé mon attention et j'ai détourné mon regard vers les fleurs. Avant même d'avoir eu le temps de réfléchir, j'ai saisi l'insecte au vol. L'espace d'un instant, j'ai senti le vrombissement de ses ailes, puis une douleur bouillonnante a envahi ma main.

J'ai relâché l'abeille avec un cri.

Pendant quelques fractions de seconde, j'ai fixé le point rouge qui s'étendait furieusement au creux de ma paume, puis Maddy s'est mise à crier et je me suis enfui en courant, le bras replié contre mon ventre, palpitant de douleur et de honte.

7

Ma mère a ouvert mon poing serré en retenant son souffle.

– Oh, Bo.

Je détestais qu'elle dise ça. J'adorais que Maddy le dise, mais je ne supportais pas de l'entendre de ma mère.

J'avais la main en feu. Je n'avais jamais connu de douleur aussi horrible de toute ma vie. Heureusement, les abeilles sauvages avaient presque complètement disparu.

– Oh, Bo. Tu n'as pas retiré le dard.

Elle a localisé la pointe bulbeuse avant de l'extraire à l'aide d'une pince à épiler.

– J'ai toujours aussi mal.

– On va mettre un peu de bicarbonate de soude dessus.

N'importe quelle mère normalement constituée aurait déjà appelé une ambulance, mais pas la mienne. Elle préférait employer l'un de ses remèdes de sorcière.

– Et si je suis allergique ? Je pourrais en mourir.
– Bo, tu n'es pas allergique aux abeilles.
– Comment tu le sais ?
– Parce que si tu l'étais, tu aurais enflé comme un ballon.
Elle malaxait un mélange de bicarbonate de soude et d'eau lorsque Grand-Père a fait irruption dans la cuisine.
– Qu'est-ce qui se passe ?
– J'ai été attaqué par une abeille.
Maman a apposé une cuillerée de cette mixture blanche et fraîche sur la paume de ma main, qu'elle a ensuite enveloppée d'une bandelette. Presque instantanément, la douleur aiguë s'est transformée en une palpitation désagréable.
Grand-Père a demandé :
– Où ça ? Sur la main ? Qu'est-ce que t'as encore fabriqué ? Tu as essayé de l'écraser ?
– Non. Elle m'a piqué sans raison.
– Ahah ! Je vais te croire, tiens ! Les abeilles ne piquent pas pour s'amuser, tu sais.
Il a ouvert le réfrigérateur, examiné le contenu avant d'en ressortir une bouteille de bière maison.
– Je suis bien placé pour le savoir, je me suis fait piquer plus d'une fois.
– Prends ça, Bo.
Ma mère m'a tendu un verre d'eau et un petit cachet blanc.
– Qu'est-ce que c'est ?
– De l'aspirine.

– On ne m'en a pas prescrit.
– Eh bien, je te la prescris, moi.
J'ai obéi et avalé le cachet. On n'en était plus à une illégalité près. Nous, les Marsten, on se fichait pas mal des lois, tous autant qu'on était.
J'ai décidé de ne pas parler de mon petit souci avec le MFSSSI. Ma mère le découvrirait bien assez tôt – s'ils ne l'en avaient pas déjà informée. Peut-être qu'elle ne regarderait pas son WindO avant un jour ou deux. Maman n'était pas très sérieuse avec ce genre de choses.
À l'heure du dîner, chez les Marsten, c'était le triangle des Bermudes générationnel. Maman débitait son petit flot de paroles en visant mon oreille gauche : ce qu'elle avait fait de sa journée, les mois que Papa devrait encore passer à décapiter les crevettes, l'équilibre plus que fragile des crédits de la famille, etc.
Pendant ce temps, Grand-Père diffusait son propre flot de conversation – généralement en rapport avec sa jeunesse – de sa voix retentissante, en direction de mon oreille droite.
Quant à moi, je n'avais jamais grand-chose à raconter, et même lorsque c'était le cas, il m'était difficile de placer un mot. C'était le moment idéal pour pratiquer ce que j'appelle l'écoute en stéréo.

Oreille gauche : Notre conseiller Visa pense qu'on pourra emprunter 7000 V-dollars par mois avec le salaire carcéral de ton père.
Oreille droite : Pourquoi est-ce qu'on ne parle plus en véritables dollars ? Autrefois, les gens ne dépensaient que ce qu'ils gagnaient. Aujourd'hui, on ne parle plus que

de Visa-dollars. Avant, l'argent, on pouvait le plier et le glisser dans sa poche.

Gauche : Al dit qu'un des hommes de son équipe s'est coupé le pouce. Tu te rends compte ? Avec tous ces couteaux partout !

Droite : Pas un seul gamin de mon lycée qui n'avait pas un canif ou deux chez lui. Et des armes à feu aussi. Aujourd'hui, tout est interdit.

Gauche : Dieu merci, tu es toujours là, Bo. On jurerait que les hommes de notre famille sont maudits.

Droite : Un jour, P'pa et moi, on a fait une virée dans le Dakota-du-Sud et on a tué neuf faisans. J'en ai eu trois à moi tout seul !

Gauche : Si seulement ton frère nous écrivait plus souvent…

Droite : Le Dakota-du-Sud… Je parie qu'aujourd'hui, ils ne savent plus quoi en faire de leurs faisans, maintenant que la chasse est interdite.

Gauche : Dans son dernier message, il disait que lui et son équipe s'occupaient des travaux, à l'ouest d'Omaha. J'espère qu'on ne les oblige pas à travailler trop dur. Pauvre Sam, à réparer l'autoroute, avec tous ces poids lourds qui roulent à toute vitesse… Je me fais du souci pour lui.

Droite : Le Nebraska ? Il y avait beaucoup de faisans là-bas aussi.

Je m'amusais à essayer de repérer à quel moment leurs conversations concordaient. Parfois, le repas se passait sans qu'ils discutent une seule fois de la même chose.

8

Le lendemain, je me suis réveillé de bonne humeur. Elle a duré à peu près trois secondes. Puis je me suis rappelé la dispute avec Maddy, la piqûre, le rapport que Lipkin s'apprêtait à envoyer au MFSSSI et l'existence de Karlohs Furey. J'ai eu soudain très mal au ventre.

J'ai songé à manquer l'école. Grand-Père prétendait avoir fréquemment séché les cours en simulant des crampes d'estomac. Moi je ne simulais rien du tout. Mais pour justifier une absence, il me faudrait me rendre au Centre local de bien-être Philip Morris, où on fait toujours la queue, sans compter la facture de 900 V$, prélevés sur le compte Visa familial.

Je n'ai jamais compris comment certains peuvent faire carrière dans la santé publique, mais ça doit avoir certains avantages puisqu'un tiers des personnes non incarcérées travaillent dans le secteur de la santé. Les Centres de bien-être Philip Morris sont les deuxièmes plus gros employeurs du pays, juste derrière McDonald's

Réinsertion et Industrie, la société qui gère la plupart des prisons, des usines et des restaurants pénitentiaires.

Je me suis forcé à me lever, j'ai pris ma douche antibactérienne en vitesse et je me suis préparé à affronter cette nouvelle journée. Mon distributeur de cachets a sonné, pour me rappeler de prendre mon Levulor. J'ai arrêté la sonnerie. J'avais avalé un cachet la veille, dans le bureau de Lipkin, je pouvais probablement sauter ma dose matinale. Je ne me transformais pas non plus en monstre si je m'en passais !

Dès mon premier cours, les arts du langage, je suis tombé sur Karlohs Furey. Littéralement. On a essayé d'entrer en même temps et nous nous sommes cognés.

– Hé ! Attention !

Je me suis penché à son oreille :

– À toi de faire attention, bouche de cul.

Finalement, le Levulor d'hier ne faisait peut-être plus vraiment effet.

Karlohs a fait un mouvement en arrière, comme s'il avait perdu l'équilibre. Son visage s'est empourpré et sa bouche en cul de chien s'est déformée. J'étais stupide de l'attaquer de cette façon, c'est vrai, mais en cet instant, j'ignorais encore à quel point.

Je me suis assis devant pour ne pas avoir à regarder Karlohs. M. Peterman, plus âgé encore que Grand-Père, était à son bureau en train de lire une vieille édition de poche d'un livre intitulé *Le Meilleur des mondes*.

Le cours portait sur le « roman », une forme de média datant du XXe siècle qui aujourd'hui n'intéresse plus les moins de 60 ans. Les romans sont d'épais documents uniquement constitués de pages et de pages de caractères d'imprimerie noirs sur fond blanc : pas de photos, pas de graphiques, pas d'animations, pas de son. Grand-Père avait toute une étagère de ces éditions de poche. Il m'en a fait lire un, un jour, intitulé *Les Aventures de Huckleberry Finn.* J'ai eu beau essayer, je n'ai strictement rien compris. La sensation du papier était surprenante ; comme si les pages sèches crissaient sous les doigts et absorbaient leur moiteur. J'ai appris plus tard que le livre était interdit : j'avais donc bien fait de m'abstenir.

Celui que nous étudiions pour le cours de M. Peterman s'appelait *Harry Potter à l'école des prestidigitateurs*, une version revue, corrigée et abrégée d'un roman à succès de la fin du XXe siècle. Grand-Père dit l'avoir lu à 8 ans. Il affirme que la version de l'époque était meilleure. Le titre n'était pas le même et, dans l'édition originale, on assistait même à la mort de certains personnages.

J'ai ouvert mon WindO. Le chapitre cinq de *Harry Potter* est apparu. Police noire et arrière-plan blanc. J'ai modifié les paramètres et opté pour un texte rose fuchsia sur fond vert pomme. Une fenêtre pop-up de Sécurité par Sam Q. s'est affichée dans le coin supérieur gauche de l'écran.

☞ N'oubliez pas : ouvrez toujours les portes avec précaution ! Quelqu'un se tient peut-être derrière !
Sammy Q.

Sam Q. Sécurité est un programme bénin d'intelligence artificielle créé en 2064 par l'agence publicitaire du MFSSSI. Il était prévu pour s'auto-anéantir au bout de six semaines, mais le programme a muté et s'est changé en cyberspectre. Aujourd'hui, tous ceux qui utilisent un WindO, c'est-à-dire presque tout le monde, reçoivent une douzaine de ses messages chaque jour. Le moins qu'on puisse dire, c'est que c'est agaçant. Le gouvernement a mis sa tête à prix – celui qui trouve un moyen d'éliminer Sammy Q. de la surface du Web touchera 10 millions de V-dollars. Jusqu'ici, personne n'a réussi. Les cyberspectres sont réputés pour être difficiles à neutraliser.

Matt Gelman, assis à la table à côté de la mienne, s'est penché vers moi :

– Hé, Bo, regarde un peu Karlohs.

– Pourquoi ?

– Regarde, tu vas voir.

Je me suis retourné et j'ai parcouru la salle du regard à la recherche du rictus de Karlohs. Nous étions plus de cent vingt élèves dans la classe, j'ai mis un moment à le repérer. Il était là, trois rangées derrière moi, sur la droite.

On aurait dit qu'une douzaine d'abeilles en furie l'avaient piqué.

– Qu'est-ce qui lui est arrivé ?

– J'en sais rien, mais il est hors de question que je l'approche, a répondu Matt.

Karlohs se frottait le visage avec ses doigts longs et blancs. Certains élèves installés près de lui se sont levés pour aller s'asseoir plus loin. M. Peterman avait remarqué l'agitation. Il a refermé son livre et s'est penché en plissant les yeux dans la direction de Karlohs.

– Quel est le problème ?

Il s'est rapproché de Karlohs.

– Qu'est-ce que vous avez au visage, mon garçon ?

Karlohs a porté ses mains à ses joues.

– Qu'est-ce que vous voulez dire ?

Les rougeurs semblaient s'intensifier.

– Qu'est-ce que vous regardez ?

D'autres élèves continuaient de se lever pour s'éloigner de lui.

M. Peterman s'est penché en avant, les sourcils froncés, puis s'est redressé brusquement pour retourner à son bureau. Il a tapé quelque chose sur son WindO. Karlohs s'agitait sur sa chaise, en palpant frénétiquement son visage.

– Mais qu'est-ce qu'il y a ?

Sa voix avait gagné en aigus et en panique.

Tout le monde s'éloignait maintenant de lui, et le regardait avec un mélange d'horreur et de dégoût.

– Voyons, Karlohs, il n'y a pas lieu de s'inquiéter.

Peterman semblait pourtant extrêmement inquiet.

– J'ai contacté le service de Sûreté et Santé. Restez calme.

Mais Karlohs était tout sauf calme. Il s'est levé d'un bond et s'est précipité vers le fond de la salle, où un petit miroir était fixé au mur. Il s'est regardé dans la glace et un cri rauque lui a échappé. Il a alors fait volte-face et m'a pointé du doigt.

– Toi ! a-t-il lancé d'une voix stridente. C'est toi qui m'as fait ça. C'est ta faute !

– Moi ?

– C'est Bo Marsten, a-t-il dit à l'attention de M. Peterman. Bo est responsable.

– Karlohs, s'il vous plaît, retournez à votre place.

– C'est Bo !

Et soudain, les élèves, qui regardaient Karlohs bouche bée, ont dirigé leur expression incrédule vers moi.

Toute cette histoire commençait franchement à me fatiguer. La colère montait en moi comme l'eau dans ces vieux sanitaires qui menacent de déborder. Je l'ai sentie diminuer sous l'effet du Levulor : plutôt que de me précipiter vers le fond de la salle et de me jeter à la tête de Karlohs, j'ai seulement pointé mon doigt dans sa direction.

– Effectivement, c'est moi qui ai détraqué son visage. Je t'ai discrètement arrosé de germes de varicelle, Furey. Tu ferais bien de te tenir sur tes gardes parce que la prochaine fois, je t'assaisonne à la peste bubonique.

Je croyais être ironique et drôle, mais toute la classe me dévisageait comme s'il m'avait soudain poussé des cornes.

– Heu… je plaisante.

Quelques instants plus tard, deux méditechs protégés par des masques sont entrés et ont escorté Karlohs hors de la salle.

9

Après cet incident, les escapades incroyablement dangereuses de Harry Potter m'ont paru insipides. Pendant tout le reste du cours, les élèves me jetaient des regards en coin, les uns après les autres, guettant les rougeurs sur mon visage.

Tout le monde semblait soulagé de quitter la salle à la fin de l'heure.

Lorsque je suis arrivé à mon deuxième cours de la journée, celui d'intelligence artificielle, la nouvelle de la maladie de Karlohs s'était propagée dans toute l'école.

– Qu'est-ce que tu lui as fait ? m'a demandé Matt Gelman.

– Mais rien !

Mélodia Fairweather, qui était en cours d'initiation à la médecine, pensait qu'il s'agissait d'une réaction allergique.

– Et la variole ? a suggéré Halston Mabuto, un autre élève en Pré-médical.

– La variole n'existe plus depuis plus d'un siècle, a répondu Mélodia. Et nous sommes tous vaccinés contre la varicelle et la rougeole.

– Et l'acné ? ai-je dit, songeant à cette ancienne maladie dont les adolescents souffraient autrefois, mais que je n'avais jamais vue en vrai.

– J'étais là, a répliqué Halston. Les boutons sont apparus d'un seul coup, a-t-il ajouté en claquant des doigts. L'acné ne se développerait pas si vite.

– C'est peut-être un nouveau syndrome. L'épouvantable rougite aiguë.

– Tu n'es pas drôle, Bo, a coupé Mélodia.

Matt est alors intervenu :

– Je vais vous dire, moi, ce que j'ai vu. Bo a murmuré quelque chose à Karlohs avant d'entrer en classe, et Karlohs a rougi, comme s'il était gêné, ou furieux, vous voyez ? Puis, un quart d'heure plus tard, son visage s'est couvert de ces boutons rouges.

– Qu'est-ce que tu lui as dit ? a demandé Mélodia.

– Rien.

– Tu l'as touché ? a insisté Halston, en se reculant légèrement.

– Mais non !

Tous me dévisageaient.

– Je n'ai rien à voir là-dedans.

– S'il vous plaît !

M. Hale, notre instructeur d'IA, s'est levé de sa paillasse et a élevé la voix.

– Plus que quatre semaines pour préparer vos programmes en vue du test de Turing. On se met au travail !

Pour une fois, j'étais heureux de rejoindre mon box. J'ai ouvert mon WindO et tapé le chemin d'accès de mon IA. Un singe stylisé portant une casquette avec une hélice dorée est apparu sur l'écran.

– Bonjour Bork, ai-je dit.

– Bonjour Bo Marsten, a-t-il répondu d'une voix qui ressemblerait à celle d'un singe mécanique – si les singes mécaniques pouvaient parler. Comment vas-tu ?

– Pas génial.

– Cette information n'est pas nouvelle. Tu n'as jamais été « génial ».

– Merci.

– Je t'en prie.

– C'était ironique.

– Et pourquoi emploies-tu un langage exprimant le mépris ou la moquerie ?

– Parce que tu es un singe.

– Cette information n'est pas nouvelle.

Bork est mon programme d'intelligence artificielle. Et il n'est pas très intelligent.

– De quoi veux-tu discuter aujourd'hui, Bork ?

La tête de Bork s'est figée pendant que l'hélice tournait. Les questions ouvertes lui donnaient toujours du mal. J'ai attendu en regardant la petite hélice s'agiter sur sa casquette.

Le but du cours d'IA est de constituer une personnalité intelligente en utilisant une petite portion de l'ordinateur du lycée. On alloue à chaque élève quelques millions de mégaoctets et un accès au processeur principal pour traiter un milliard d'opérations par seconde. En théorie, c'est suffisant pour créer une personnalité artificielle suffisamment intelligente pour passer le test de Turing.

– Réponds-moi, Bork.

– Je ne connais pas la réponse à cette question, Bo.

– J'ai été piqué par une abeille hier.

– Un insecte venimeux commun. Douloureux. Insouciant.

– Construis une phrase, Bork.

– Comment vas-tu, Bo ?

– Pas génial.

– Cette information n'est pas nouvelle. Tu n'as jamais été « génial ».

– Varie tes réponses, Bork.

– Je suis au regret de t'informer que tu n'es pas « génial ».

Aux débuts de l'ère informatique, on a beaucoup parlé de la capacité des ordinateurs à devenir intelligents. Un homme appelé Alan Turing a proposé un test simple. Il expliquait que si un programme pouvait, en conversant avec un être humain, le persuader qu'il était également humain, il aurait alors prouvé son intelligence. Voilà plus de quarante ans que les machines ont établi leur intelligence selon les critères de Turing. Ce que l'on fait, en cours d'IA, c'est d'éveiller la conscience de soi sur une petite application basique en l'éduquant comme un enfant.

À la fin des six semaines de préparation, nos programmes sont évalués par l'intelligence artificielle principale de l'ordinateur du lycée. En d'autres termes, c'est une IA qui détermine lesquelles de nos créations sont les plus susceptibles d'être considérées comme rationnelles. J'ai fait l'erreur de vouloir expliquer cela à Grand-Père, une fois. Il est parti dans une telle crise de fou rire que j'ai cru qu'il allait avoir une attaque.

Deux semaines avant la remise, Bork n'avait même pas une chance de passer pour un humain débile, mais je n'abandonnais pas.

– Formule une réponse humaine à cette question : Bork, qu'est-ce qui te rend heureux ?

– Je suis heureux lorsque je suis joyeux. Je suis heureux lorsque mon avatar sourit. Je suis heureux lorsque je ressens du plaisir.

– Tu n'es pas génial, Bork.

– Cette information n'est pas nouvelle.

– Dis-moi un peu, est-ce que tu…

La tête du singe a cillé, l'hélice a cessé de tourner et Bork a répondu :

– Bo Marsten, veuillez vous rendre immédiatement au bureau de monsieur Lipkin de la Santé, de la Sûreté et de la Sécurité intérieures.

10

Cette fois-ci, Lipkin ne m'a pas fait attendre.

– Bo Marsten, qu'avez-vous fait ?

Lipkin était rubicond. Le Roland Longévital lui injectait probablement tout un tas de sérums censés réduire sa pression artérielle et ralentir son rythme cardiaque.

– Rien.

– Karlohs Furey est en observation dans le bâtiment médical.

– Il paraît qu'il a eu une crise d'acné.

– De l'acné ? Je ne pense pas, jeune homme. Il semble victime d'une éruption cutanée qui, selon mes informations, est survenue quelques minutes après un échange de mots avant votre cours d'arts du langage.

Je me suis légèrement détendu. Si les micros de sécurité avaient capté ce que j'avais réellement glissé à Karlohs, Lipkin me l'aurait certainement répété.

– On s'est cognés en passant la porte. J'ai juste dit « pardon ».

Lipkin m'a lancé un regard noir.

– Je crois que vous vous trompez. Cela sera bien sûr ajouté au rapport que j'adresserai au MFSSSI.

– Est-ce que Karlohs va bien ?

– Il est en observation.

Lipkin avait pratiquement retrouvé sa mine de papier mâché.

– C'est un garçon sensible, monsieur Marsten, à l'inverse de certains de nos élèves.

Je n'ai pas répondu, et après m'avoir dévisagé d'un mauvais œil pendant quelques secondes, il m'a laissé retourner en cours.

– Bonjour, Bo Marsten. Comment vas-tu ?

– Pas génial. Quoi de neuf, monsieur Borképic ?

La tête de Bork s'est figée : il bloquait sur la question. J'en ai profité pour jeter un regard dans le box d'à côté et voir comment ma voisine s'en sortait.

L'IA de Keesha White était une reproduction plus mince, avec des cheveux plus raides, d'elle-même. La plupart des élèves ne créent pas des singes animés. Ils préfèrent réaliser des versions idéalisées d'eux-mêmes. C'est censé renforcer nos liens avec la personnalité de l'IA. J'ai bien essayé au début de l'année, mais c'était vraiment trop flippant de me parler à moi-même, alors j'ai remplacé l'avatar par celui d'un singe avec une casquette à hélice.

– Bonjour Keesha White, comment vas-tu ?

Je voulais voir si son intelligence pouvait sembler humaine.

– Très bien, répondirent en chœur Keesha et Keesha 2. Leurs voix étaient presque impossibles à distinguer.

– Tu as entendu ce qui est arrivé à Karlohs ?

– Apparemment, il a fait une espèce d'éruption cutanée.

– Qui est Karlohs ? a demandé Keesha 2.

– C'est l'un de nos amis, lui a expliqué Keesha.

– Ton IA se débrouille bien.

– Merci.

– Merci, a ajouté Keesha 2.

– Mon petit bonhomme s'en sort moins bien.

– C'est parce que tu en as fait un singe.

– Tu crois que c'est pour ça ?

– Monsieur Hale dit que l'apparence générale de nos avatars est très importante. Si ton avatar ne paraît pas intelligent, tu ne parviendras pas à le prendre au sérieux. Tu dois arriver à croire en ton IA.

– Je crois en lui. Je crois simplement que c'est un singe.

– Euh… tu ferais mieux d'y retourner, a dit Keesha. Il faut éviter de contaminer nos IA respectives.

Sans doute avait-elle raison. Avec l'image de singe que je lui avais donnée, Bork avait peut-être du mal à se prendre au sérieux. Difficile de comprendre ces programmes d'IA. J'ai donc ouvert la base de données des étudiants, sélectionné quelques visuels et commencé la chirurgie plastique.

Plus tard dans la journée, pendant le cours d'histoire des États-Unis de Mme Martinez, j'ai remarqué que la table à ma gauche était vide, tout comme celle placée devant moi. Je me suis retourné. La table derrière moi était également inoccupée. La seule personne installée près de moi était ma voisine de droite, Mélodia Fairweather. C'était d'autant plus curieux que presque toutes les autres places de la salle étaient occupées. On aurait dit que les gens préféraient m'éviter.

– Apparemment, personne ne veut s'asseoir à côté de nous.

– Ils sont idiots, a répondu Mélodia.

Matt Gelman était installé deux rangées plus loin sur ma gauche. J'ai essayé d'attirer son regard, mais il semblait curieusement passionné par ce que racontait Mme Martinez au sujet de la Révolte bénigne de 2039, lorsque des millions de travailleurs pénitentiaires ont délibérément ralenti la production, causant une pénurie nationale de légumes et de fruits de mer. J'ai fouillé mes poches à la recherche d'un objet à jeter du côté de Gelman. Comme je ne trouvais que quelques fils de coton, j'ai arraché l'un des boutons de ma chemise, et visé soigneusement avant de le lui lancer.

Le bouton l'a atteint à la joue. Surpris, il s'est retourné vers moi.

Quoi ? a-t-il articulé sans sortir un son.

J'ai désigné les tables vides autour de moi et haussé les sourcils.

Il a tapé quelque chose sur son WindO et tourné l'écran dans ma direction.

Je lui ai soufflé : *Éruption ?*

Matt a haussé les épaules, visiblement mal à l'aise, avant de regarder de nouveau droit devant lui. J'ai songé à lui jeter un autre bouton, mais je n'avais pas franchement envie de finir la journée à moitié débraillé.

Une éruption ? Ce qu'il voulait dire, sans doute, c'est que j'avais causé l'éruption cutanée de Karlohs. Je ruminais la stupidité de toute cette histoire lorsque j'ai entendu une exclamation de stupeur. Tout le monde avait les yeux rivés sur Mélodia Fairweather et ça n'avait rien de surprenant.

Son visage était constellé de boutons rouges.

11

> ☞ Lorsqu'on tousse ou qu'on éternue, on propage des maladies. Portez toujours un masque ProTeck-teur si vous ne vous sentez pas bien, et prenez rendez-vous dès que possible auprès de votre fournisseur de bien-être !
> Sammy Q.

On aurait dit une rediffusion du premier cours. Tout le monde s'est écarté, Mme Martinez a appelé le bureau de la SSS et la pauvre Mélodia, vissée sur sa chaise, se palpait le visage et répétait : « Quoi ? Qu'est-ce qu'il y a ? Pourquoi est-ce que vous me regardez comme ça ? »

Ils se tenaient tous loin de moi, aussi.

– Hé, Ben, ai-je lancé à Ben Weisert, qui était le plus proche, est-ce que je suis couvert de taches, aussi ?

Ben a secoué la tête.

J'ai fait un mouvement dans sa direction.

– Il ne faut pas qu'il te touche ! lui a crié quelqu'un.

À cet instant, la porte s'est ouverte. Deux méditechs se sont frayé un chemin à travers l'attroupement. En me reculant pour leur laisser le passage, j'ai heurté Ben et deux autres gars. Ben m'a repoussé violemment, ce qui m'a surpris. Il était du genre calme et ce n'était pas vraiment son style de commettre une agression physique.

Les méditechs ont posé une enveloppe microbicide sur la tête de Mélodia et l'ont escortée hors de la salle. Pendant plusieurs secondes, toute la classe est restée figée, puis Mme Martinez a frappé dans ses mains.

– Allons, retournez vous asseoir.

Tout le monde a glissé lentement vers son siège.

Enfin, pas tout le monde. J'ai repris ma place, mais les tables à côté de la mienne demeuraient vides. Plusieurs élèves se pressaient contre le mur opposé, en me dévisageant.

– Qu'est-ce qui se passe ? ai-je demandé. Est-ce que mon visage est normal ?

Je m'adressais à Mme Martinez.

Elle a hoché la tête, le front plissé.

– Pourquoi tout le monde se comporte-t-il aussi bizarrement ?

La porte s'est ouverte de nouveau et deux autres méditechs ont fait irruption, et se sont dirigés droit vers moi.

Cette fois-ci, Lipkin n'a pas pris la peine de me parler. Les méditechs m'ont jeté directement en quarantaine, où j'ai passé les deux heures et cinquante-six minutes suivantes. Comme ça, ça n'a pas l'air si long, mais imaginez un peu rester planté dans une pièce de deux mètres sur deux, avec pour seule compagnie une paire de chaises en plastique et une pendule murale. Trois heures vous paraissent alors un chouïa (comme dirait Grand-Père) plus courtes qu'une éternité. Lorsque l'infirmier d'accueil et d'orientation, un barbu au cou de taureau, est venu me chercher, j'atteignais un tel degré d'ennui que je frisais l'incohérence et ma vessie était sur le point d'exploser.

Heureusement pour nous deux, il m'a autorisé à aller aux toilettes immédiatement. Après avoir évacué environ la moitié de mon poids en urine, je suis reparti en quarantaine.

Quelques minutes plus tard, un type à la mine joviale, aux joues rouges et aux doigts dodus est entré dans ma cellule. Il s'est assis et a consulté son WindO.

– Bo Marsten.

Il m'a regardé. Sa chevelure couleur de rouille ne tenait pas en place.

– Alors, c'est toi qui es à l'origine de tout ça. Comment vas-tu ?

– Vous parlez comme mon singe virtuel.

Il a brusquement levé la tête et ses cheveux roux ont semblé se redresser.

– Pardon ?

– Qui êtes-vous ?

– Je m'appelle Staples. Georges Staples. Je travaille pour le ministère fédéral de la Santé, de la Sûreté et de la Sécurité intérieures.

Il a pianoté quelque chose sur son WindO.
– Qu'est-ce que vous tapez ?
Il a orienté l'écran vers moi, afin que je puisse voir ce qu'il inscrivait.

ATTITUDE : AGRESSIF

J'avais remarqué que Georges Staples ne portait pas de masque.
– Vous n'avez pas peur que je vous refile les abominables bubons rouges ?
– Pas vraiment.
Il a souri, découvrant une rangée de petites dents parfaitement alignées.
– Est-ce que Mélodia va bien ?
– On l'a renvoyée chez elle, ainsi que sept autres élèves.
Il a souri de nouveau.
— Tu as vraiment déclenché quelque chose, Bo.
– Quoi ? Mais je n'ai rien fait du tout.
– C'est ce que Mary Typhoïde disait au juge !
– Mary qui ?
– Mary Mallon. Tu ne connais pas cette histoire ?
Je n'avais pas la moindre idée de ce dont il parlait.
– C'était au début du XXe siècle. Mary Typhoïde était une cuisinière, porteuse du virus de la typhoïde. Elle l'a transmis à plusieurs dizaines de personnes. Certaines d'entre elles en sont mortes. Les autorités sanitaires ont tenté de l'arrêter, mais elle refusait de croire qu'elle était responsable. Elle changeait souvent d'emploi et de nom,

et infectait toujours plus de gens. Ils l'ont finalement rattrapée et envoyée sur une île où elle a vécu le restant de ses jours.

– Vous pensez que je suis Bo Typhoïde ?

Staples a éclaté de rire.

– D'une certaine manière, oui. Tous ces gamins avec ces éruptions cutanées ont été en contact avec toi, d'une façon ou d'une autre, Bo. Ou du moins, vous vous trouviez dans la même pièce.

– Mais je ne suis pas malade.

– C'est aussi ce que disait Mary Typhoïde.

Il s'est remis à rire. Ça devenait agaçant.

– Je ne vois pas ce qu'il y a de si drôle.

Staples s'est repris.

– Ça ne l'est sans doute pas vraiment.

Puis il a souri. Cela ressemblait davantage à un rictus.

– Le problème, Bo, c'est qu'ils croient que c'est toi.

– Que c'est moi quoi ?

– Ils sont convaincus que c'est toi qui les as rendu malades, Bo.

– Eh bien, ils se trompent.

– En fait, Bo, ils ont raison.

– Est-ce que vous pensez pouvoir formuler une phrase sans y fourrer mon nom ?

– Bien sûr… Bo.

Il a ri, sans doute satisfait d'avoir sorti une bonne blague. J'ai réussi à me contenir.

– Désolé… dit-il.

Ça devait le démanger d'ajouter « Bo », j'ai apprécié l'effort.

– Écoutez, j'ai insulté Karlohs, d'accord ? Je plaide coupable. Mais je ne lui ai pas refilé cette éruption de boutons.

Staples a haussé les épaules.

– C'est bien possible. En fait, c'est une réaction allergique à une crème hydratante qui est responsable du problème de Karlohs.

– C'est une crème qui est à l'origine de cette éruption ?

– Apparemment. Mais la situation est devenue incontrôlable lorsque tu as admis publiquement en être la cause.

– Mais c'était de l'ironie ! Il m'a accusé d'avoir causé cette dermatose et j'ai répondu…

– Je sais ce que tu lui as répondu, Bo. J'ai visionné les enregistrements. Tes intentions n'ont pas vraiment d'importance. Le fond du problème, c'est que tu as entraîné une réaction psychogénique chez les élèves.

– Une quoi ?

– Une réaction émotionnelle qui se manifeste de manière physique, en l'occurrence sous la forme d'une inflammation épidermique. En d'autres termes, leurs cerveaux ont rendu leur corps malade. On appelle ça un SP, un syndrome psychogène. On parlait avant d'hystérie collective.

– Et Karlohs alors ? C'est lui qui a commencé par m'accuser. Alors qu'il a utilisé une mauvaise crème.

– Karlohs Furey a sa part de responsabilité. Mais il avait des raisons d'être perturbé. Son visage était couvert de boutons rouges.

Je me suis assis, les yeux dans le vague. Chaque cellule de mon corps haïssait Karlohs Furey. Staples attendait que je parle.

– Et maintenant, on fait quoi ?

Staples consultait son WindO.

– Un petit message de « Sécurité par Sam Q. » nous dit : « Si vous n'êtes pas concerné par la solution, c'est que vous êtes peut-être à l'origine du problème. »

Il a souri. Mais pas moi. Il a froncé alors les sourcils avant d'ajouter :

– Dans la plupart des cas de SP – nous en avons plusieurs chaque année –, nous trouvons qu'il est plus judicieux de se débarrasser de la cause de l'infection.

– Vous enlevez les cerveaux des gens.

– On a déjà essayé ça !

Il a ri.

– Je plaisante. Non, il n'y a que deux solutions pour stopper une situation pareille. La première, c'est de mettre en place un programme intensif d'initiation à la surveillance biologique rétroactive et des signaux physiologiques, de traitements psychopharmaceutiques et de méthodes de relaxation. Bien sûr, il nous faudrait traiter tous les élèves de Washington Campus.

Il a paru dubitatif.

– C'est très cher, très long et peu envisageable.

– Et la deuxième ?

– On se débarrasse de toi.

12

☞ Après avoir été à la selle, pensez à vous laver les mains à l'eau chaude et savonneuse !
Sammy Q.

L'avantage d'être en quarantaine à la maison, c'était de ne plus avoir affaire à Karlohs Furey, à M. Lipkin et au reste de cette bande d'hystériques. Mes cours restaient les mêmes, mais tout se passait *via* mon WindO. Parfois, j'oubliais complètement que j'étais dans ma chambre en train de fixer l'écran.

J'ai donc décidé d'appliquer ce concept au Bork relooké.

– Bonjour, Bork.

– Bonjour, Bo Marsten. Comment vas-tu ?

– Je vais bien, mais je crois que j'ai réglé un pourcentage de bleu trop important dans la teinte de ta chevelure.

Bork – depuis peu un troll souriant aux cheveux verts – a mis quelques secondes à répondre, ses iris dorés tournoyant à pleine vitesse.

– Le vert est ma couleur préférée.

– Dis-moi, Bork…

– Mon nom fait référence à deux personnages de séries télévisées du XXe siècle…

– Bork !

– Oui, Bo ?

– Laisse-moi finir ma phrase.

– Finis ta phrase, Bo.

– Merci. Bo, est-ce qu'il y a une différence pour toi si je suis assis ici dans ma chambre ou si je suis au labo d'IA au lycée ?

Les iris de Bork se sont mis à tourner et il a cligné des yeux. Au bout d'une dizaine de secondes, il a finalement répondu :

– Oui.

– Explique-toi.

– Si tu étais au labo d'IA, ma base de données inclurait l'information de ta présence au laboratoire d'IA.

– Ça ne m'avance pas vraiment.

– Tu ne m'as pas demandé de t'avancer.

– Est-ce que tu as entendu, Bork, que je suis la Mary Typhoïde de Washington Campus ?

– Non.

– C'est pourtant vrai !

– Félicitations, Bo.

– Ceux qui s'approchent de moi risquent de développer une éruption cutanée psychogène.

– Définis le terme «éruption cutanée psychogène».
– Des boutons rouges sur tout le visage.
– De quelle taille?
– Environ quatre millimètres de diamètre.
– Combien?
– J'en sais rien. Vingt ou trente.
– Quel est le degré du risque pour les individus en contact avec toi?
– Ça dépend probablement du degré de suggestibilité de la personne.
– Je suis ouvert à toutes les suggestions.

J'ai ri. Les iris de l'avatar ne s'arrêtaient plus de tourner. J'ai fait un tour à la salle de bains, pour vérifier dans le miroir que je ne m'étais pas infecté moi-même. Tout paraissait normal. Je suis retourné à mon WindO.

Lorsque je suis revenu, Bork avait un sourire idiot jusqu'aux oreilles et ses joues étaient couvertes de points rouges.

10:04
M. Hale,
Mon IA n'est toujours pas très intelligent, mais il me semble qu'il développe un certain sens de l'humour. Est-ce une bonne chose?
Bo Marsten

10:58
Bo,
Qu'entends-tu exactement par «un certain sens de l'humour»?
M. Hale

10:59
M. Hale,
Bork s'est dessiné une éruption cutanée tout seul. Il sourit beaucoup et je pense que de temps à autre, il essaie d'être sarcastique. Et il fait certaines remarques. Lorsque je lui ai demandé s'il possédait le sens de l'humour, il a répondu : « J'ai bien essayé un jour. Mais personne n'a ri. » Je crois qu'il tentait de plaisanter.
Bo Marsten

11:57
Bo,
Les traits d'humour spontanés et délibérés sont extrêmement rares chez les IA, même ceux certifiés de haut niveau par la Fondation Turing. Peut-être que ton « Bork » imite simplement ta propre attitude. Quant à l'image de l'éruption cutanée, il est possible que le problème vienne de ton écran ou des codes informatiques de l'avatar. Y a-t-il aussi des points rouges en arrière-plan ?
M. Hale

12:07
M. Hale,
Non, seulement sur sa tête. Et si Bork parvenait à convaincre l'examinateur qu'il est intelligent, mais pas tout à fait sensé ? Est-ce que je pourrais quand même avoir la moyenne ?
Bo Marsten

13:00

Bo,

Le but de cet exercice est de créer une intelligence qui pourra t'être utile plus tard, pour la suite de tes études. Une IA irrationnelle ne correspondrait pas aux critères d'évaluation du cours.

M. Hale

13:07

M. Hale,

D'accord, merci. Au fait, Bork dit: «Tournicoti, tournicoton.» Je ne sais pas d'où il sort ça. En tout cas, ce n'est pas moi qui le lui ai appris.

Bo Marsten

13

Selon Grand-Père, la quarantaine, ce n'était pas une si mauvaise chose pour moi.

– Tu as affaire à une bande de crétins qui ne savent pas distinguer leurs têtes de leurs culs ! Tu ne perds pas grand-chose en restant à la maison.

Ma mère se mordillait les lèvres, comme elle le fait lorsqu'elle pense que Grand-Père a bu un coup de trop – et c'était le cas.

– Tu veux que j'aille leur parler ? reprit Grand-Père. C'est sans problème ! Je vais te faire réintégrer en moins de deux.

– Tu viens de dire que ça n'était pas une grande perte.

– Vas-y, n'y va pas… y a pas de grosse différence.

Il a avalé une autre gorgée de bière.

– Une bande de petites chochottes, si tu veux mon avis.

– Personne ne te demande ton avis, Papa, a coupé ma mère.

– Eh ben, quelqu'un devrait me le demander, et pas qu'un peu. J'te jure, ce fichu pays a pété les plombs !

– J'aimerais bien qu'on puisse prendre un repas dans cette maison sans avoir à écouter tes divagations.

– Eh ben, ne m'écoute pas. Tu ne m'as jamais écouté, de toute façon. Personne n'écoute. Cette nation est devenue complètement cinglée et personne ne s'en rend compte. On peut dire qu'on a perdu notre mordant. Par exemple, toi, Bo, c'est quoi, ton meilleur temps au 100 mètres ?

– 13 secondes 80.

– Moi, je faisais 11 secondes.

– Je sais, Grand-Père, tu me l'as déjà raconté au moins mille fois.

– Et le fait qu'aucun Américain n'a remporté de médaille olympique depuis 2052, tu le savais aussi ? Les plus grands athlètes viennent d'Amérique du Sud, aujourd'hui. Bon sang, on n'a même plus d'équipe de hockey ou de football américain. Avant, on disait qu'il fallait « obtenir quelque chose à la sueur de son front ». De nos jours, c'est plutôt : « Si tu transpires un peu, c'est que tu en fais trop. » Et ces voitures qu'on conduit. Ces 4 x 4 américains sont tellement sûrs qu'on pourrait foncer droit dans un mur de briques et s'en sortir sans une égratignure. Mais ils n'avancent pas plus vite qu'une mule, et ils coûtent aussi cher qu'une maison. On n'a même plus de programme spatial. Le Brésil du Sud a installé une colonie sur Mars et on n'est pas capables de se remuer un peu les fesses. Et quel est le secteur qui marche le mieux chez nous ? Le système pénal. Nous avons l'espérance de vie la plus longue de la planète, et on envoie un tiers de nos hommes en prison. Et un grand nombre de femmes aussi.

Grand-Père nous a jeté un regard noir, comme pour nous défier d'oser répliquer. On savait bien que c'était inutile. Il a grogné avant d'achever son laïus comme il le faisait toujours, par un : « Ce pays tout entier a pété les plombs. Et moi, je vis dans un asile de fous. »

Après deux minutes d'un silence total, Maman nous a régalés de l'une de ses joyeuses anecdotes.

– May Ann a 158 ans aujourd'hui.

May Ann Weberly est la doyenne de la planète. On retransmet ses anniversaires en direct depuis ses 130 ans.

– En voilà un membre productif de la société ! a remarqué Grand-Père.

– C'est une source d'inspiration pour tous, a répliqué ma mère.

– C'est un cadavre ambulant. Cette femme aurait dû mourir il y a plus de vingt-cinq ans.

Là-dessus, j'étais plutôt d'accord avec Grand-Père. May Ann Werberly passe 364 jours par an sous assistance respiratoire. Une fois par an, pour son anniversaire, on la réveille, pour qu'elle profite de cette journée, entourée de ses petits-enfants, de ses arrière-petits-enfants et de ses arrière-arrière-petits-enfants.

May Ann dit toujours que « la vie est comme une longue fête d'anniversaire ». Et elle est sincère. Sa fête d'anniversaire est l'une des *webcasts* les plus populaires de l'année.

– Son exemple est encourageant, a rétorqué ma mère. Elle a vécu correctement et dans la sûreté. Et maintenant que le gouvernement la prend en charge, elle peut très bien vivre 158 ans de plus!

– Et tu trouves que c'est une vie, ça? a demandé Grand-Père. Elle n'a rien de «libre». Elle est prisonnière de son propre corps.

À l'époque des États-Unis, il était beaucoup question de liberté. On en faisait toute une histoire au XVIIIe siècle, pendant la guerre d'Indépendance, tout un plat pendant la guerre de Sécession, et pour tous les autres conflits qui ont suivi. On a même composé des chansons sur la liberté. Aux États-Unis, la chose la plus importante était d'être libre et de réaliser ses rêves. Mais les gens ne parlent plus autant de liberté qu'avant. Du moins, c'est ce que dit Grand-Père. Aujourd'hui, les gens diront davantage: «À quoi ça sert d'être libre si on meurt?»

Les choses ont sans doute commencé à changer quand l'espérance de vie a augmenté. Au milieu du XXe siècle, les gens n'atteignaient seulement que les 60 ou 70 ans. À la fin du millénaire, la plupart des individus vivaient facilement jusqu'à 80, voire 90 ans, sauf, bien sûr, en cas d'accident, ou quelque chose comme ça. On a alors commencé à porter des casques pour faire du vélo, à manger des aliments bio et à faire un tas d'autres choses pour éviter les morts prématurées.

Il y a cent ans, les gens se disaient: «De toute façon, je ne vivrai pas plus de 70 ans, qu'est-ce que ça change si je fume quelques cigarettes et si je claque à 65 ans?»

Mais lorsque atteindre les 100 ans est devenu possible, les gens étaient soudain moins enclins à gâcher leurs années. Ils ont commencé à prendre soin d'eux-mêmes.

Avec les années 2030, les thérapies télomériques, développées par les Centres de bien-être Philip Morris, sont arrivées. Elles rallongent l'espérance de vie pour tous de vingt ou trente ans, parfois plus. En théorie, à moins d'attraper un horrible virus, de s'empoisonner avec des drogues, de se jeter sous les roues d'un 4 x 4 ou de s'étouffer avec un bretzel, on peut vivre éternellement.

Grand-Père a ajouté :

– Je pense que ce pays a commencé à partir en brioche le jour où on a décidé qu'on préférait la sûreté à la liberté.

À cet instant, l'alerte sonore indiquant l'arrivée d'un message de haute priorité a retenti sur le WindO de la cuisine. Maman s'est levée d'un bond, espérant probablement qu'il s'agissait de nouvelles de Papa. Elle a activé le WindO et lu le message.

– Avant, quand le téléphone sonnait pendant le dîner, on laissait le répondeur prendre le relais, a grommelé Grand-Père.

– C'est quoi, un répondeur ? ai-je demandé.

– Oh, mon Dieu, a dit ma mère en regardant l'écran.

– Quoi ?

– Nous sommes convoqués au ministère fédéral de la Santé, de la Sûreté et de la Sécurité intérieures. Au bureau local. Demain.

Elle a pâli.

– Il veut que nous soyons tous là. Toute la famille.

– Pourquoi ?

Mais je savais parfaitement pourquoi. La dernière fois qu'on avait convoqué toute la famille, Sam avait été condamné à deux ans.

14

– Eh bien, Bork, j'ai bien peur que tu ne puisses jamais grandir.

– Développe, s'il te plaît.

– Je veux dire que je ne serai pas là pour t'aider à atteindre la conscience.

– Conscience. Connaissance intelligente de sa propre réalité. Je pense, donc je suis.

– Oui.

– En quoi puis-je t'être utile, Bo ?

– Est-ce que tu peux t'introduire dans la base de données du MFSSSI et effacer certaines entrées ?

– Le piratage informatique est un crime, Bo.

– Je pourrais modifier tes paramètres éthiques et t'obliger à considérer le comportement criminel comme admissible.

– La modification des paramètres éthiques est un crime, Bo.

– Oui, mais tu n'es pas réel. Tu n'as rien à perdre.

– L'incitation au comportement criminel est un crime, Bo.

– Je pourrais te reconditionner en virus et t'introduire *via* l'hyperlien du MFSSSI.

– La préméditation d'actes criminels est un crime, Bo.

– Arrête de m'appeler Bo.

– Comment dois-je t'appeler ?

– J'en sais rien.

Je me suis enfoncé dans le fauteuil. Pirater le MFSSSI était évidemment impossible. Même si j'avais été capable de le faire, ils avaient probablement plus de pare-feu, de systèmes de protection et de logiciels antivirus que le Pentagone. C'était du délire.

– Tu peux m'appeler Pauvre Crétin.

– Oui, Pauvre Crétin.

Je suis convaincu que ce fichu troll se croyait drôle.

– Écoute, Kris, a dit Grand-Père, Bo n'a que 16 ans, il est mineur. Ils ne peuvent pas l'emprisonner pour une insulte de cour de récré. Les juges de Sûreté et Santé ne sont pas totalement déraisonnables. Nous allons nous présenter et leur parler. Tout se passera bien.

Il était 8 heures du matin, et Grand-Père n'avait pas encore attaqué sa première bière.

– J'espère que tu as raison, Papa.

– Ils ne feront que le réprimander, une sanction purement dissuasive. Pas vrai, Bo ?

Il a tendu une main fripée et m'a ébouriffé les cheveux.

– Je ne sais pas.

J'espérais qu'il avait raison. Je ne connaissais que deux mineurs de mon âge à avoir été envoyés dans des colonies de travaux pénitentiaires. Jack Rollins avait été condamné pour avoir agressé son frère avec un couteau de cuisine. Tamir Hassan avait totalisé pas moins de quatorze délits, parmi lesquels l'alcoolémie, le vol d'un 4 x 4 et l'automutilation. J'étais loin d'avoir commis quelque chose d'aussi grave.

– Je suis tout de même inquiète, a dit ma mère. Avec Alan dans cette exploitation de crevettes et Sam qui répare ces horribles routes…

– Sam aura bientôt purgé sa peine, Kris. Quant à Al, il a toujours été colérique.

– J'ai l'impression qu'on m'arrache tous les hommes de ma famille. Et j'ai peur qu'un de ces jours, la police ne débarque ici et découvre ta petite brasserie dans la cave.

– Je suis un vieux bonhomme, Kris. Ils ne voudraient pas de moi. Les vieux font de piteux ouvriers.

– Oui, mais…

– Et Bo n'est qu'un gamin. Pas vrai, Bo ?

– Sans doute.

– Eh ben, tu vois !

– J'aimerais seulement qu'on ait les moyens de prendre un avocat, a objecté ma mère.

– On n'a pas besoin d'avocat, on m'a, moi, a ajouté Grand-Père.

– Je ne suis pas sûre que…

Je n'étais pas sûr non plus. L'idée que Grand-Père me défende devant une cour de justice était assez terrifiante, mais nous n'avions pas vraiment le choix. J'espérais simplement qu'il serait à jeun pour l'audience.

15

Si vous n'avez jamais mis les pieds dans une salle d'audience du MFSSSI, estimez-vous heureux.

La pièce avait à peu près la taille d'un terrain de basket. Elle était aménagée comme un amphithéâtre, avec des rangées de sièges confortables qui s'étendaient jusqu'en haut de l'auditorium.

De l'autre côté, il y avait une plate-forme surélevée d'environ deux mètres, où se trouvaient trois fauteuils avec de grands dossiers. Derrière les fauteuils était suspendu un immense écran où flottait l'image du drapeau des États-Sécurisés. Entre la plate-forme et les sièges de l'amphi, au niveau le plus bas de la salle, était installée une rangée de sièges en plastique destinés à l'accusé et à sa famille, ses témoins, ses conseillers juridiques, etc.

Notre affaire était la première à être examinée ce matin-là. Lorsque nous avons pénétré dans la salle, quelques places étaient occupées par de jeunes gens pianotant sur leur WindO. Probablement des étudiants en droit venus assister aux audiences. Maman, Grand-Père et moi nous sommes dirigés vers les sièges en plastique, où l'huissier nous avait dit de nous asseoir. Maman triturait ses mains, comme si elle avait voulu s'arracher la peau. Grand-Père, à mon grand soulagement, était resté sobre, mais paraissait nerveux et ne tenait pas en place. J'étais nerveux moi aussi, et pas vraiment tranquille non plus.

Quelques minutes après que nous nous fûmes installés, M. Lipkin est entré sur son fauteuil de survie. Il m'a jeté un regard vide et s'est parqué tout au bout de la rangée. J'ai remué sur mon siège, pour essayer de trouver une position confortable.

Grand-Père s'est penché vers moi et m'a glissé à l'oreille :

– C'est qui, ce gros type dans le fauteuil roulant ?

Je lui ai alors expliqué.

– Une vraie tête de crapaud, a dit Grand-Père.

Lipkin a semblé remarquer que nous l'observions et nous a lancé un regard noir. Grand-Père le lui a rendu et, en dépit de la situation, j'ai ri.

La juge, une femme grisonnante qui portait un rouge à lèvres orangé et une robe bleue, est arrivée à 9 heures précises.

Elle s'est installée et a ouvert son WindO. Mon casier, c'est-à-dire deux délits et quelques petites infractions, a immédiatement remplacé le drapeau sur l'écran géant derrière elle. À mesure que les mots défilaient, les charges retenues contre moi apparaissaient.

Elle a levé la tête de son WindO, fixé son regard gris pâle sur moi et pris la parole :

– Bono Frederick Marsten, sont portés contre vous deux chefs d'accusation pour attaques verbales, deux chefs d'accusation pour négligence de soi, un chef d'accusation pour tentative de destruction de biens publics, et mise en danger involontaire de personnes dont le nom ne sera pas dévoilé. Que plaidez-vous ?

– INNOCENT ! a vociféré Grand-Père, en se levant de sa chaise.

La juge s'est tournée vers lui.

– Et peut-on savoir qui vous êtes, monsieur ? lui a-t-elle demandé.

– Je suis le grand-père de Bo. Et j'affirme que ce garçon est innocent !

– Êtes-vous un avocat inscrit au barreau ?

– Non, a concédé Grand-Père, mais j'ai suffisamment de bon sens pour me faire un avis. Et je vous dis que Bo n'a commis aucun acte qui puisse mériter qu'on l'envoie en prison.

La juge s'est retournée de nouveau vers moi.

– Souhaitez-vous que ce monsieur vous représente devant cette cour, monsieur Marsten ?

– Bien sûr que oui, a répondu Grand-Père.

– Il faut que la réponse vienne de Bo.

J'ai regardé Grand-Père, qui commençait à s'empourprer, et j'ai senti ma bouche devenir sèche. Si je le laissais parler en mon nom, il ne ferait probablement qu'empirer les choses. Mais je ne voulais pas casser son enthousiasme.

– Monsieur Marsten ? a repris la juge.

– Euh… Je… Est-ce que je suis vraiment mal parti ? Vous allez m'envoyer en prison ?

– Il me paraît peu judicieux d'aborder la question de votre sentence avant même d'avoir exposé les faits. Pour l'instant, vous avez trois options. (Elle a compté sur ses doigts.) Premièrement, votre Grand-Père peut vous représenter. Il me faut vous avertir que les personnes n'ayant pas reçu une formation d'avocat arrangent rarement les affaires de leurs clients.

– Je ne suis pas l'imbécile que vous croyez, a crié Grand-Père.

La juge l'a ignoré.

– Deuxièmement, vous pouvez assurer vous-même votre propre défense. Ou troisièmement, vous pouvez vous recommander à la clémence de la cour. Étant donné les circonstances (elle a jeté un regard appuyé à Grand-Père), je vous conseillerais fortement de choisir cette dernière option.

Elle a posé ses mains croisées et a attendu une réponse.

Impossible de regarder Grand-Père en face. Impossible d'ouvrir la bouche.

La juge m'a averti :

– Si vous ne dites rien, je serai alors forcée de considérer que vous ne voulez rien plaider et que vous ne souhaitez pas vous défendre.

J'ai levé la tête vers elle, désespéré.

16

– Ça ne s'est pas trop mal passé, a dit Maman.

– Ben voyons, a répondu Grand-Père.

– Au moins, il n'ira pas en prison.

– Sauf s'ils décident qu'il a roté de travers.

Maman a pris la bretelle d'accès à l'autoroute, et le système de navigation a basculé en mode automatique. Le 4 x 4 a accéléré et s'est inséré sans à-coups sur la voie de droite.

– J'aurais pu lui obtenir un simple avertissement, a affirmé Grand-Père. Et si son père m'avait écouté, j'aurais pu lui éviter la prison, à lui aussi.

– Les agressions au volant sont indéfendables, ai-je remarqué.

– Tout est défendable.

– Et cette juge n'avait pas vraiment l'air de t'apprécier, a ajouté ma mère.

– Cette bureaucrate à la bouche mandarine m'a détesté au premier regard.

Il s'est retourné vers moi.

– C'est des bonnes femmes dans son genre qui ont réduit ce pays à un immense camp de prisonniers.

– C'est de moi que tu parles, ou du juge Myers ?

– Les deux.

À partir de là, j'ai préféré ignorer le reste de leur conversation. J'étais simplement content de rentrer chez moi.

Comme j'avais refusé de plaider, le juge avait réexaminé mon cas et mon casier judiciaire, posé quelques questions puis rendu un jugement immédiat : coupable, coupable, coupable, coupable, coupable et coupable. Elle m'a condamné à trois ans, laissé la condamnation faire son effet pendant quelques minutes puis l'a suspendue et m'a autorisé à repartir à la maison.

– Je ne comprends pas, lui ai-je dit.

– Vous venez d'être inculpé, jugé et condamné, a-t-elle expliqué. Mais je renonce à faire appliquer la peine. Vous êtes maintenu en liberté à la condition de ne pas commettre d'autres actes criminels jusqu'à vos 19 ans.

– Alors, je ne vais pas en prison ?

– Cela dépend entièrement de vous, monsieur Marsten. Pour l'instant, vous restez libre selon le bon vouloir de la cour. En d'autres termes, à la prochaine incartade, vous irez tout droit en prison. Une nouvelle agression verbale, un nouvel acte d'imprudence, un nouveau cas de négligence de soi et on vous envoie directement casser des cailloux. Est-ce que je suis suffisamment claire ?

Je me disais que j'avais de la chance. Bien sûr, la condamnation me pendait toujours au nez. Il me faudrait être doublement vigilant pendant les trois années à venir.

Grand-Père m'a dit :

– Toutes ces accusations, c'était du toc. J'aurais pu l'prouver.

– Je suis désolé, Grand-Père.

C'était environ la vingt-deuxième fois que je m'excusais.

– Tu seras bien plus désolé quand on t'enverra dans une de ces fermes pénitentiaires.

– Ça n'arrivera pas. À partir d'aujourd'hui, plus question d'enfreindre la moindre règle.

– J'espère bien ! a dit ma mère.

Grand-Père a secoué la tête.

– Toi et ton père. Deux vraies gouttes d'eau...

Plus tard dans la journée, après avoir rattrapé mon retard dans mes cours, j'ai ajouté un piercing au nez de Bork.

– Merci, Pauvre Crétin.

– Arrête de m'appeler comme ça, tu veux ?

– C'est d'accord.

– D'accord avec quoi ?

– Je suis d'accord avec toi, Bo.

– Bork, est-ce que ta base de données a des informations sur l'expression « tel père, tel fils » ?

Les iris de Bork se sont agités.

– Ma recherche renvoie à treize millions six cent treize entrées. Veux-tu que je te les lise ?

– Non. Tu ne peux pas me donner les contextes les plus utilisés ?

– 62 % proviennent de textes humoristiques, 39 % proviennent de textes littéraires et de dialogues de films, 14 % proviennent de documents historiques, 54 % proviennent de blogs et d'autobiographies, 30 %…

– Ça suffit, Bork. J'imagine que certaines catégories se recoupent.

– Oui, Bo.

Comme je ne répondais pas, Bork m'a servi son habituel : « Comment vas-tu, Bo ? »

– Je suis vénère.

– Explique « vénère », s'il te plaît.

– Énervé, contrarié, pris au piège, seul et incompris.

– Tous ces sentiments sont propres à l'être humain.

– Oui, merci Bork. Maintenant, sois gentil et ferme-la.

Je suis retourné chez Maddy, pour lui annoncer que je n'irais pas en prison et aussi pour m'excuser. J'avais bien réfléchi et elle avait tout à fait raison : ce n'était pas à moi de lui dire qui elle pouvait ou ne pouvait pas fréquenter. Si ça lui plaisait de perdre son temps à faire la conversation à Karlohs Furey, c'était son problème.

Mon rôle, c'était de lui donner envie de passer plus de temps en ma compagnie qu'en celle de Karlohs. Il me faudrait progresser en charisme.

Lorsque Mme Wilson m'a ouvert, je lui ai donc offert mon sourire le plus charismatique. Mais elle ne semblait pas charmée de me voir. À vrai dire, elle a fait un pas en arrière quand elle a compris qui se trouvait derrière la porte.

– Maddy n'est pas à la maison, Bo.
– Est-ce que vous savez où elle est ?
– Bo, tu ne devrais sans doute pas être ici. Tu n'étais pas malade ?
– Je vais très bien. C'était une contagion psychogénique.
– Contagion psychoquoi ?
– Il n'y avait pas vraiment d'infection. Maddy n'a pas eu d'éruption ?
– Non… mais tu n'étais pas renvoyé du lycée ?
– Pour quelques jours seulement, le temps que tout le monde se calme.
– Je crois que tu ferais mieux de rester chez toi.
Il était évident qu'elle ne me dirait pas où Maddy se trouvait.
– Vous voulez bien dire à Maddy que je suis passé ?
– Bien sûr, Bo.
En refermant la porte, elle a semblé soulagée.

S'il y avait une chose que Maddy aimait plus que le jardinage, c'était le shopping. J'ai donc pris la direction de South Lake Plaza, son centre de shopping électronique favori.

Si j'en crois Grand-Père, les centres commerciaux étaient d'immenses bâtiments qui s'étalaient sur plusieurs milliers de mètres carrés. On y trouvait pour plusieurs millions de dollars de produits manufacturés en stock, qui allaient des chemises aux tondeuses autotractées, en passant par les appareils électroniques. Si, par exemple, vous vouliez acheter des chaussures, vous deviez vous rendre dans un endroit où l'on en stockait environ cinq mille paires. Pour essayer, disons, une douzaine de modèles, il fallait réellement enfiler les chaussures. Il arrivait que plusieurs personnes passent une même paire de chaussures. Grand-Père raconte qu'à l'époque, il existait une infection du pied assez commune appelée « le pied d'athlète ». Amusant que personne n'ait jamais fait le rapprochement.

Aujourd'hui, bien sûr, les choses ne marchent plus de la même façon. Tout le monde fait du cybershopping ou va dans des centres de shopping électronique, où on peut voir les objets exposés dans des vitrines en plastique. C'est incroyablement simple d'acheter dans les centres commerciaux avec les V-dollars. Admettons que vous vouliez une chemise. Vous sélectionnez le modèle qui vous plaît, vous tapez votre identifiant et appuyez sur le bouton « APERÇU ». La machine automatique vous numérise et affiche votre hologramme portant la chemise. Si ça vous convient, vous appuyer sur « COMMANDER », et voilà ! La chemise que vous avez choisie est faite sur mesure et livrée chez vous le lendemain.

En plus d'être pratiques, les centres de shopping électronique sont aussi très sûrs – encore plus sûrs, même, que le lycée de Washington Campus. Les robots de sécurité APC sont fixés sur toute la longueur du plafond, à intervalles réguliers. APC signifie : Automate de protection de la clientèle. Chaque APC a un angle de vision de 360°, un système d'extinction des flammes, et assez de fléchettes paralysantes pour neutraliser un éléphant.

Pour trouver Maddy, je suis d'abord allé au magasin de chaussures. Elle adore les chaussures. C'est l'endroit le plus fréquenté du centre commercial. Apparemment, il y avait des soldes. Certains clients se faisaient numériser les pieds, d'autres admiraient leurs hologrammes portant différents modèles, d'autres se contentaient de regarder. Maddy n'était pas là.

J'ai poussé jusqu'à la section des vêtements, me frayant un passage à travers la foule, dans l'espoir d'apercevoir sa chevelure noire et lumineuse. J'ai reconnu deux types de l'école, mais j'ai réussi à les éviter. South Lake Plaza est comme un labyrinthe géant. Le bâtiment en lui-même n'est pas immense, mais à l'intérieur, c'est un enchevêtrement de couloirs et de secteurs, bordés de vitrines en plastique et de bornes numériques interactives. On pouvait y passer des heures, et certaines personnes ne s'en privaient pas.

J'ai retrouvé Maddy à *La Chapellerie*, l'une des boutiques automatiques de chapeaux. *La Chapellerie* propose un service de projection d'hologramme qui affiche l'image du chapeau directement au-dessus de votre tête. Pour le voir, il faut se regarder dans un miroir, mais c'est la touche rétro qui fait tout le charme.

Maddy portait un bonnet de fourrure synthétique qui lui donnait des airs de Davy Crockett, version fille. Elle riait. Je me suis senti sourire, car lorsque Maddy est heureuse, je le suis aussi. Puis j'ai remarqué celui qui se trouvait à ses côtés, avec un chapeau de cow-boy trop grand pour lui. Mes tripes ont semblé se changer en une gélatine congelée.

Maddy riait et touchait ses cheveux à travers l'hologramme du chapeau. Elle a levé ses yeux sombres et pétillants et sa bouche rose s'est entrouverte vers lui. Or celui qu'elle regardait, celui qui avait passé un bras autour de sa taille, c'était – vous l'avez deviné – Karlohs Furey.

17

☞ Gardez les bras le long du corps et les mains dans vos poches. Gesticuler dans des lieux publics peut se révéler dangereux !
Sammy Q.

Je me répétais : *File discrètement ! Tourne les talons, rentre chez toi et ne pense plus jamais à elle. Tu peux y arriver. Il suffit de te retourner et de partir.*

Mais je ne voyais plus que cet horrible visage fouineur, cette bouche en forme d'anus canin.

Ça n'en vaut pas la peine. Retourne-toi et va-t'en.

Avec ce chapeau de cow-boy, il était encore plus écœurant que d'habitude.

– Va-t'en, me suis-je dit.

J'avais même parlé à voix haute. Une femme m'a alors regardé, surprise. Ma tête n'a pas dû lui plaire, parce qu'elle s'est éloignée en vitesse.

J'ai senti le Levulor tirer sur la bride de mon cerveau.

– Va-t'en, me suis-je de nouveau lancé, mais mon corps m'a propulsé en direction de Maddy et Karlohs.

Mon esprit avait du mal à suivre mes mouvements. Dans la vie, il faut savoir se défendre. Il ne s'agit pas de fuir la confrontation. On a un problème ? On le règle ! Le sang-froid ? Aucun souci ! Je n'allais pas l'attaquer physiquement. Je pouvais rester cool.

En une seconde, j'étais à côté d'eux, glacial et glacé.

– Bo ! s'est exclamée Maddy. Que fais-tu ici ?

– Je te cherchais.

Ma voix était calme, mesurée.

– Qu'est-ce que tu achètes de beau ?

– On regardait les chapeaux.

– Vraiment ?

J'ai jeté un regard à leurs couvre-chefs holographiques.

– C'est un chapeau, ça ? Je pensais qu'un raton laveur nichait sur ta tête.

– Ce n'est pas la peine d'être désagréable.

– Je ne suis pas désagréable.

Mais ma réponse était aussi sardonique que méchante.

– Pourquoi on t'a laissé sortir, Marsten ? a dit Karlohs. T'étais pas censé représenter une menace pour la société ?

Pour la première fois, je l'ai regardé droit dans ses petits yeux de fouine. Il portait encore quelques traces de l'éruption cutanée.

– Ma peine a été suspendue. Note que ça ne te concerne absolument pas.

– C'est fantastique, Bo ! s'est exclamée Maddy. J'étais tellement inquiète à ton sujet. On avait peur qu'ils t'envoient en prison.

– Oui, on te croyait déjà en route pour une ferme pénitentiaire.

– La prison ? Pourquoi ça ? Parce que tu n'es pas capable de choisir ta crème hydratante ?

Le front de Maddy s'est plissé.

– Une crème hydratante ? De quoi vous… ?

– Il s'est servi d'une espèce de crème qui lui a détraqué le visage. C'est ça qui a provoqué cette histoire d'éruption cutanée.

– C'est vrai ?

Karlohs lui a souri d'un air narquois, a haussé les épaules et levé les yeux au ciel. Tout cela semblait l'amuser.

J'ai senti mon ventre s'enflammer. Un point très particulier, juste au-dessus du nombril. À cet instant précis, tout ce que je voulais, c'était lui rentrer mon poing dans la figure et lui défoncer le cerveau. Une pulsion difficile à réprimer, mais jusque-là, je m'en sortais plutôt bien. Le Levulor m'aidait un peu. J'ai songé à mon frère, Sam, qui rebouchait les trous sur les routes du Nebraska. J'ai songé à cette juge aux lèvres orangées, à ma mère et aux trois ans à passer sans une infraction. J'ai brusquement serré la mâchoire, écrasé mes poings comprimés au fond de mes poches et détourné le regard. Je n'allais pas tomber dans le piège de Karlohs.

Maddy s'est tournée vers lui :

– Tu t'es encore servi de la crème au romarin de ta maman, Karlohs ?

– Possible.

– Mais… tu sais parfaitement que tu es allergique au romarin ! La réaction est instantanée ! Pourquoi est-ce que tu as fait ça ?

Pourquoi ? Les mots de Maddy résonnaient et tournoyaient dans ma tête. Karlohs était allergique au romarin… et il le savait ? Et comment Maddy était-elle au courant ? Depuis combien de temps exactement se voyaient-ils ? Allergique au romarin ? Alors pourquoi s'en tartiner volontairement la figure ? J'ai de nouveau regardé Karlohs et son petit sourire narquois. La suspicion est devenue certitude.

– Tu l'as fait exprès !

Le minuscule point brûlant dans mes tripes a alors commencé à s'étendre.

Karlohs a souri de toutes ses dents. Un feu d'enfer se propageait dans toute ma poitrine. Mes poings étaient tellement serrés que j'avais l'impression de traîner deux massues à bout de bras. J'ai essayé de me contenir et j'ai pensé à mon père, qui guillotinait les crevettes depuis presque trois ans. Mon frère, qui arrangeait le macadam du Nebraska.

Mes lèvres ont remué :

– Tu t'es étalé ce truc sur la figure juste pour m'attirer des ennuis ?

– Tu crois ? a demandé Karlohs avec une expression faussement surprise.

Peut-être était-il écrit que je marcherais sur les traces de mon père. Peut-être que j'étais impuissant face à cela. Peut-être qu'après tout, ça en vaudrait la peine.

Maddy s'est interposée.

– Ça suffit, vous deux.

Les serrures, les harnais, les entraves du sang-froid ont lâché les uns après les autres, tel le monstre de Frankenstein qui arrache ses liens. Karlohs a semblé s'en rendre compte. Ses yeux se sont agrandis, son sourire narquois s'est arrondi, façon cul de chien prêt à péter, et la boule de feu en moi a déchiré les chaînes veloutées du Levulor. J'étais libéré.

J'ai écarté Maddy et balancé mon poing droit en avant, de toutes mes forces. Karlohs l'a vu venir ; il a rejeté la tête en arrière et ma main n'a fait qu'effleurer le côté de sa mâchoire. J'ai entendu des cris. J'ai avancé vers lui et de nouveau envoyé mon poing dans sa direction, mais il a dévié le coup avec ses bras. D'autres cris, d'autres hurlements, étouffés par le souffle saccadé de ma propre respiration et le martèlement de mon pouls dans mes veines. J'ai aperçu Maddy, qui me regardait, ses traits de poupée délayés par une expression d'horreur. J'ai fait un pas vers Karlohs et ramené mon poing, bien décidé à le lui enfoncer dans la figure.

La fléchette paralysante de l'APC s'est plantée droit dans ma nuque : la douleur aiguë s'est changée en un nœud tourbillonnant d'indolence. J'ai senti mes mains retomber le long de mon corps et s'ouvrir comme si je tenais un poids dans chacune. La tête de Karlohs s'est empourprée en devenant de plus en plus petite. Comme au ralenti, j'ai pivoté sur mes talons et le visage de Maddy est apparu lentement, immense, doux et incrédule.

– Maddy…

Ma voix était rauque, barbare.

Elle a reculé, les yeux écarquillés par la peur. Peur de moi.

– Maaaaaaaddyyyyyyy.

Ma voix n'était plus qu'un gargouillement lointain, comme le son d'une sirène étouffé par des torrents d'eau. Le tourbillon qui se formait dans ma tête m'entraînait avec lui. J'étais happé, tournoyant à l'infini, et le reste du monde s'est évanoui.

18

Grand-Père tenait absolument à ce qu'on consulte un véritable avocat. Ma mère et lui avaient déjà dépensé tous leurs V-dollars pour verser ma caution, il a donc dû vendre toute sa collection d'antiques DVD pour payer une entrevue avec un avocat. Nous sommes partis en 4 x 4 pour le centre-ville, où nous avions rendez-vous dans le cabinet de MM. Smirch, Spector et Krebs. Grand-Père a utilisé sa carte Visa-dollars pour pouvoir accéder au bâtiment. Les frais de consultation – 19 995 V$ – ont été immédiatement prélevés sur son compte. Le produit de la vente de ses DVD avait sans doute été englouti d'un seul coup. On nous a escortés vers le bureau d'Adrian Smirch.

Smirch avait la réputation d'être un très bon avocat. Une chose était certaine : il était très efficace. Il ne lui a pas fallu plus de trois minutes pour étudier mon dossier. Il a levé les yeux de son WindO avec un grand sourire avant d'annoncer qu'il pouvait m'obtenir une peine de trois mois seulement.

– Trois mois, ai-je répondu, ce n'est pas si terrible.

– Combien ? a demandé Grand-Père.

– Je vais vous faire préparer un devis par mes associés.

Pendant tout le voyage de retour, Grand-Père n'a cessé de maugréer au sujet du prix de la consultation.

– Vingt mille balles pour cinq petites minutes. C'est indécent.

Lorsque nous sommes rentrés, le devis de Smirch, Spector et Krebs nous attendait déjà sur le WindO de la cuisine : 1 750 000 V$.

– Ça fait beaucoup de V-dollars, ai-je remarqué.

– Ça en fait beaucoup trop, oui ! a dit Grand-Père, en s'ouvrant une bière. Je suis désolé, Bo. À mon époque, on pouvait s'offrir les services de ces escrocs pour 100 000 ou 200 000 dollars. On dirait bien que tu vas devoir te débrouiller seul.

– On pourrait faire un emprunt sur la maison, a suggéré ma mère.

– Quand bien même, a répondu Grand-Père. Ça ne sera pas suffisant.

Durant les trois jours suivants, j'ai préféré me perdre sur le Net et tâcher de penser à autre chose qu'à la date de l'audience qui approchait. J'avais du mal à me concentrer sur mes devoirs, sachant que je ne serais probablement plus là pour le bac. Mais j'ai passé de nombreuses heures à améliorer Bork. Je lui ai expliqué ma situation, dans les moindres détails, non sans difficultés. Les concepts de jalousie, de peur et de colère perturbaient le mouvement de ses iris. Vu le temps qu'il lui a fallu pour traiter ces données, c'est l'idée du mensonge qui l'a laissé le plus perplexe.

– Veux-tu dire que ton humain, Karlohs, s'est appliqué un composé nuisible à son épiderme, puis a fourni des informations incorrectes concernant l'inflammation qui en a résulté ?

– Exactement. Il a menti.

– Il a fait une erreur.

– Non. Il a menti. Délibérément.

– Alors, c'est toi qui fais une erreur.

– Je ne fais pas d'erreur.

– Tes calculs sont fondés sur des données corrompues. Tes conclusions doivent donc être erronées.

– Non, c'est faux.

– Je ne suis pas d'accord.

– Bork, je vais effectuer de nouvelles programmations, tu es prêt ?

– Oui, Bo.

– Programmation : Tout ce que je te dis est vrai.

– Accepté.

– Programmation : Je peux parfois me tromper.

– Accepté.

– Programmation : Le fait que je puisse me tromper n'implique pas toujours que j'aie tort.

– Dans le sens de causer du tort à quelqu'un ou dans le fait de se tromper ?

– Les deux.

– Accepté.

– Programmation : Parfois, je te mens.

– Accepté.

– Programmation : Je t'aime.
– Accepté.
– Programmation : Je te déteste.
– Accepté.
– Fin de la programmation.

Je regardais ses iris tourner. Était-il possible de rendre une IA folle ? Au bout de quelques minutes, je me suis déconnecté et j'ai laissé Bork dériver dans le C-espace, à réfléchir à l'impossible.

Le lendemain matin, en me reconnectant, je l'ai trouvé exactement là où je l'avais abandonné, tourbillonnant à l'infini. Son avatar était corrompu : les bordures étaient floues et son piercing avait fondu. Fallait-il le sauver ? J'ai décidé qu'il réglerait seul ses problèmes : la dure école de la cybervie pour les IA. À partir de là, il pourrait soit se décomposer en groupes de données, soit se retransformer en une nouvelle version de lui-même.

Plus tard dans l'après-midi, Maman, Grand-Père et moi nous sommes de nouveau rendus au palais de justice en 4 x 4. Notre plan était très simple. Puisque je n'avais pas les moyens de me payer un avocat, je me recommanderais une fois encore à la clémence de la cour du MFSSSI.

Je m'attendais à me retrouver en tête à tête avec le juge, mais j'avais tort. Ils avaient fait appel à plusieurs témoins, parmi lesquels M. Lipkin, nez au vent dans son Roland Longévital, et Maddy Wilson. Et, assis à côté d'elle, Karlohs Furey. J'ai dû supporter leurs jacasseries sur mes soi-disant antécédents violents. Le juge, un homme au regard bienveillant et aux cheveux grisonnants, semblait à la fois choqué et compatissant alors que Maddy lui racontait la piqûre d'abeille, mes intentions de casser la figure à Karlohs et l'incident du centre commercial.

Au bout d'un moment, j'en ai eu assez.

– Personne n'a été blessé.

Tout le monde s'est retourné vers moi.

– Au fond, je n'ai blessé personne.

Ils ne m'avaient peut-être pas entendu la première fois.

Le juge s'est éclairci la voix.

– Monsieur Marsten, vous aurez la possibilité de vous adresser à la cour en temps voulu.

– Mais ils me décrivent tous comme une sorte d'animal sauvage et déséquilibré. Les choses ne se sont pas passées comme ça. Et personne n'a été blessé. Il n'est rien arrivé.

– Un mot de plus, monsieur Marten, et je vous fais sortir de la salle, a dit le juge.

Il m'a donc fallu rester assis, à écouter d'abord Maddy puis Karlohs me dépeindre de manière plus horrible encore. Lorsqu'il a estimé qu'on avait suffisamment traîné mon nom dans la boue, le juge m'a appelé et m'a laissé m'expliquer.

Je lui ai alors tout raconté. Comment Karlohs avait monté le canular en causant lui-même sa propre éruption cutanée, comment j'avais accidentellement oublié une ou deux fois mon Levulor, comment Karlohs avait délibérément tenté de me provoquer et enfin qu'une fois, rien qu'une fois, j'avais voulu le frapper sans que mon poing l'atteigne vraiment, et qu'il suffisait de le regarder pour voir qu'il était indemne.

Pendant que je m'expliquais, Karlohs me dévisageait avec son petit rictus de fouine. J'ai eu toutes les peines du monde à me retenir de traverser la salle et de lui passer l'envie de sourire.

Le juge a écouté attentivement ma version des faits, en hochant et secouant la tête avec empathie lorsque cela lui semblait nécessaire. J'ai bien sûr promis de me tenir tranquille jusqu'à la fin des temps. Il m'a remercié d'avoir été honnête et franc. Il comprenait qu'on puisse perdre son sang-froid pendant un court moment et il me croyait quand je disais que cela ne se produirait plus.

Il s'est ensuite retiré pour délibérer et j'étais plutôt content de la tournure que prenaient les choses. Je pensais m'en tirer avec deux ou trois mois dans un camp local de travaux forcés. Rien de bien méchant.

Après tout, personne n'avait rien de cassé et il ne s'était, au fond, pas passé grand-chose.

Deuxième partie
LE 3-8-7

19

> ☞ Soyez toujours modérés lorsque vous serrez la main de quelqu'un ! Et n'oubliez pas de bien les laver ensuite !
> Sammy Q.

Le pilote a amorcé la descente et l'avion a décrit des cercles au-dessus du complexe, sans doute histoire de nous donner un aperçu de ce qui nous attendait. Ce qu'ils voulaient nous faire comprendre, c'est qu'il n'y avait pas grand-chose à voir. Une douzaine de bâtiments carrés, encerclés de barrières métalliques, et au-delà, rien que la toundra, d'un vert qui tirait sur le marron, et pas un seul arbre. Loin vers l'est, peut-être à une trentaine, voire une cinquantaine de kilomètres, on distinguait une petite ville, blottie près des eaux couleur de plomb de la baie d'Hudson.

– Nous y voilà, les gars. Le numéro 3-8-7, le joyau du Nord, a dit notre agent d'escorte du MFSSSI. Ici, ils ne s'embêtent même pas à poser de barbelés en haut des grillages. Ils laissent les ours polaires se charger de ceux qui se découvriraient une âme d'aventurier.

– Il y a vraiment des ours polaires dans le coin ? a demandé un garçon noir assez costaud.

– Ils sont juste en dessous.

– Les ours polaires ont disparu, ai-je dit.

Il me semblait avoir lu ça quelque part.

– Il en reste quelques-uns, a répondu l'agent d'escorte.

– Vous voulez nous faire peur, a répliqué l'autre.

– Regardez vous-mêmes, a suggéré l'escorte en faisant un geste vers la droite de l'avion.

Ceux qui comme moi étaient sanglés sur les sièges côté droit de l'appareil se sont penchés vers les hublots. Derrière le grillage, tout au bout de la piste, se tenaient quatre créatures immenses, au pelage beige élimé, penchés sur un tas informe rouge et marron.

– Les ours polaires ne sont pas censés être blancs ? ai-je demandé.

– Pas ceux-ci.

– Comment on peut être certains que ce sont des vrais ?

L'agent a éclaté de rire.

– Tu t'en rendras vite compte lorsqu'ils t'arracheront le bras, gamin.

Depuis l'annexion du Canada par l'UESA, après les guerres diplomatiques de 2055, McDonald's Réinsertion et Industrie ont délocalisé leurs usines vers le nord. Ils possèdent environ deux cents sites rien que dans l'Ontario et fabriquent à peu près de tout: du fauteuil de survie bon marché au chocolat synthétique et du casque de protection pédestre au 4 x 4. Je n'avais pas la moindre idée de l'endroit où je serais affecté.

Selon Grand-Père, avant, McDonald's ne produisait que de la nourriture, à l'époque où les frites étaient encore autorisées. Mais dans les années 2020, ils ont fusionné avec un fabricant de 4 x 4 appelé General Motors et ont changé leur nom pour McMotors Corporation of America. Quelques années plus tard, McMotors a été racheté par une société chinoise, Carrefourong. En 2031, pendant les Conflits panpacifiques, le gouvernement des États-Sécurisés a nationalisé avant de privatiser Carrefourong, qui fut renommé McDonald's Réinsertion et Industrie.

Finalement j'avais appris un ou deux trucs en cours. Même si, au fond, ça me faisait une belle jambe. Durant les trois années à venir, je serais une petite abeille travailleuse dans la grande ruche de McDonald's. Ils m'utiliseraient comme bon leur semblerait, et je n'avais pas mon mot à dire.

Le pilote a tourné encore une fois au-dessus du site avant d'entrer dans la phase d'atterrissage. Les ours ont levé la tête lorsque l'avion est passé au-dessus d'eux. Nous étions tellement proches que je pouvais distinguer les taches rouges sur leurs museaux et leurs pattes.

– Qu'est-ce qu'ils mangent ? ai-je demandé.

– La même chose que toi sous peu, gamin. Des restes.

Ce qui m'a immédiatement frappé en débarquant, c'est l'odeur ambiante d'ail, d'origan et de tomates cuisinées. La toundra avait des curieux relents de restaurant italien.

– Messieurs, ils sont à vous, a dit l'agent d'escorte du MFSSSI en nous livrant à quatre gardiens en uniforme bleu et aux visages de marbre, armés de matraques paralysantes.

Les gardiens nous ont menés en troupeau le long d'un passage bordé de grillages puis à travers une série de portails vers un terrain marbré de coins d'herbe piétinée et de terre desséchée. D'un côté, le terrain était délimité par un mur sans fenêtre de l'usine. De l'autre côté, s'élevait une clôture de près de quatre mètres de haut, qui encerclait la totalité du complexe. Les gardes nous ont fait nous aligner en rang d'oignons contre la grille, nous ont ordonné de ne pas bouger et ont rejoint le préau, à l'opposé du terrain.

Un vent glacial tourbillonnait dans l'atmosphère et s'infiltrait à travers nos chemises trop légères. Aucun d'entre nous n'était suffisamment habillé. Personne n'avait pensé à nous prévenir qu'on atterrirait près du pôle Nord. Nous formions une fine équipe. Il y avait des Noirs, des Blancs, et à peu près toutes les nuances entre les deux. Parmi eux se trouvait un type qui était sans doute l'être humain le plus gros que j'aie vu de ma vie. De taille moyenne, mais il devait peser dans les 180 kilos. Les seules choses que nous avions tous en commun, c'était d'être des garçons adolescents et d'avoir commis des crimes contre la société. Et nous affichions tous une attitude plutôt rebelle. On pourrait penser que des gens dans notre situation auraient essayé de s'entendre, mais au lieu de ça, on s'échangeait des regards de petits durs.

Je me suis retrouvé à côté du gros. Il était tellement bouffi qu'il avait du mal à garder ses bras le long du corps. Il ne tenait pas en place et cognait sans arrêt ses doigts contre mon bras. Ça m'a vite agacé. Lorsqu'il m'a touché de nouveau, j'ai envoyé valser son poignet d'un revers de main.

– Hé !

Il me fixait de ses petits yeux rouges et porcins.

– Évite les mains baladeuses, Bouboule.

Il m'a dévisagé avec une telle fureur et pendant si longtemps que j'ai commencé à flipper un peu. Il était vraiment colossal. Mais je me suis dit que je courais sans doute plus vite que lui. J'ai fini par ne plus supporter son regard, et j'ai quitté le rang pour traverser le terrain et demander aux gardiens ce qu'on attendait.

– Hé, vous allez nous faire patienter longtemps comme ça ?

L'un des gardiens a souri et m'a envoyé sa matraque dans le ventre. Je suis retombé lourdement sur l'herbe éparse, le souffle coupé.

– T'as d'autres questions, connard ? a ajouté un de ses collègues.

J'ai fait non de la tête.

– Alors, va repositionner ton cul dans le rang, merdeux.

Je suis reparti en titubant, une main sur l'estomac. Le gros n'a rien dit, mais il avait un petit sourire aux lèvres.

Les minutes se sont écoulées. J'avais moins mal au ventre, mais le froid s'intensifiait. Les bras serrés contre la poitrine, on piétinait sur place pour se tenir chaud. Je commençais à claquer des dents. Et moi qui pensais que ça n'existait que dans les dessins animés !

Je ne sais pas combien de temps ils nous ont laissés comme ça. Probablement pas plus de vingt minutes, mais ça m'a paru des heures. Enfin, on a entendu le vrombissement d'un moteur. Un quad à six roues a pris le virage à l'angle du bâtiment en dérapage contrôlé et s'est positionné entre les gardes et nous.

Un homme vêtu d'un bleu de travail en tissu isolant, le logo de McDonald's imprimé sur sa poche, est descendu du quad. C'était un géant : grand, avec de larges épaules et un cou massif, des cheveux blancs et raides, des sourcils bruns et le visage écarlate. Ses mains étaient aussi immenses et très rouges. Seuls ses oreilles, deux morceaux de cartilage informes, et ses yeux bleus étaient de petite taille. Il a passé en revue la rangée, s'est arrêté devant chacun d'entre nous en nous examinant individuellement de la tête aux pieds, avant d'avancer vers le suivant. J'avais la curieuse impression qu'il était déçu par ce qu'il voyait.

Une fois l'inspection terminée, il s'est reculé, ses deux gros bras croisés sur une imposante poitrine.

– Mon nom est Martel. Et vous, vous êtes mes clous. Vous pensez être capables de vous rappeler ça, les clous ?

La plupart d'entre nous ont hoché la tête.

– Vous transgressez les règles, Martel vous écrase. Quand Martel parle, vous écoutez ce qu'il dit. Quand

Martel vous ordonne de faire quelque chose, vous y allez au trot. Si vous avez la moindre question, inquiétude ou remarque sur la façon dont je gère mon usine, vous êtes invités à les garder pour vous. Maintenant, est-ce qu'il y a des questions ?

– Ouais. Vous comptez nous faire attendre encore longtemps ici ?

Je me suis surpris moi-même. Un coup de matraque dans l'estomac aurait dû m'apprendre à me taire.

Martel m'a toisé un moment.

– Comment tu t'appelles, le clou ?

– Bo. Bo Marsten. Écoutez, au cas où vous n'auriez pas remarqué, on n'est pas vraiment habillés pour supporter le grand froid.

– Le froid ?

Il a levé les sourcils, ironique, feignant la surprise.

– Mais c'est quasiment le plein été ! Le soleil ne se couchera pas avant presque minuit ! Tu veux savoir ce que c'est que le froid ? Attends de voir d'ici quelques mois.

– On pourrait mourir d'hypothermie. Et vous seriez accusé de négligence.

– De négligence ?

Il a éclaté de rire en rejetant la tête en arrière.

– Et accusé par qui ? Laisse-moi t'expliquer une petite chose, le clou. T'as renoncé à tes droits civiques quand tu as commis ce pour quoi on t'a envoyé au frais. Ici, c'est la vraie vie. À partir d'aujourd'hui, c'est à moi que tu appartiens et monsieur Péquin-Moyen se fiche complètement de savoir si tu souffres d'un léger refroidissement. Maintenant, écartez-vous de la grille.

Personne n'a bougé.

– J'ai dit : ÉCARTEZ-VOUS DE LA GRILLE !

J'ai avancé de quelques pas.

– TOUT LE MONDE !

Toute la rangée a fait deux pas en avant. Au même moment, un fracas métallique a retenti derrière nous. Je me suis retourné, en baissant instinctivement la tête. Pendant une seconde qui m'a paru sans fin, je ne parvenais pas à comprendre ce que je voyais. C'était énorme ; c'était jaune et blanc et marron et noir ; c'était presque aussi haut que la barrière et ça faisait trembler le grillage. Puis j'ai réalisé ce dont il s'agissait réellement. Un ours, de près de trois mètres de haut, raclait ses griffes noires sur les maillons de fer. Mes jambes s'étaient liquéfiées et je suis tombé à la renverse. Impossible de détourner les yeux. L'ours a appuyé son ventre sale contre la clôture, qui semblait prête à céder et, tout en me lorgnant d'un œil gourmand, il a passé son énorme langue sur ses babines poilues, tachées de rose. Une odeur de poisson pourri, de viande en décomposition et d'herbes italiennes me submergeait.

– Pas de panique, mes agneaux, a dit Martel, il ne peut pas rentrer.

L'ours n'était pas seul. Deux congénères l'ont rejoint pesamment. Ils nous fixaient, l'œil morne et noir.

– Les clous !

Martel a observé les pensionnaires éparpillés sur le terrain. Certains s'étaient considérablement éloignés.

– Revenez ici. Allez, les gars. J'ai pas fini mon discours.

Les quatre gardiens zigzaguaient pour intercepter les fuyards, comme des chiens qui rassemblent un troupeau.

– Le dernier à se remettre en position se prend une matraque dans les fesses.

La menace a semblé faire son petit effet. Quelques secondes plus tard, toute la rangée s'était reformée devant Martel, mais cette fois-ci, tout le monde se tenait à plus de trois mètres de la grille. Cette puanteur poisseuse aux accents de tomates et d'oignons stagnait dans l'air, comme une mauvaise haleine dans un ascenseur.

– Maintenant, écoutez-moi bien, a dit Martel. Votre bien-être, c'est le dernier de mes soucis. En fait, le gouvernement a passé des contrats avec nous et nous fournit plus d'ouvriers qu'il ne nous en faut. Je perds quelques clous : pas grave, il y en a tout un tas d'autres qui attendent, là d'où vous venez. Si quelque chose arrive à l'un d'entre vous, et ici beaucoup de choses peuvent arriver, on vous balance par-dessus la grille. « Tentative de fuite. » Les ours ne laisseront pas une miette. Mais ne vous inquiétez pas. Faites votre boulot, ne tentez rien de stupide et, au bout du compte, vous pourrez rentrer tranquillement à la maison. C'est aussi bête que ça. Bon, combien d'entre vous aiment la pizza ? Levez la main bien haut !

Quelques bras se sont levés, mais pas le mien. Je n'avais jamais mangé de pizza. Les pizzas, c'était un plat de vieux. C'était passé de mode, en même temps que les hamburgers et les frites.

– Quatre, c'est tout ?

Il a souri de toutes ses dents.

– Ben ça alors, si c'est pas malheureux!

Là-dessus, il est remonté sur son quad et il est reparti. Derrière nous, l'un des ours s'est mis à grogner d'impatience. Nous nous sommes tous retournés. J'aurais juré que cet ours souriait.

20

Un garde nous a escortés, un par un, à l'intérieur du bâtiment. Je n'avais jamais vu autant de surfaces dures ou d'angles aigus de ma vie. Le sol était constitué de béton non recouvert – ni moquette, ni caoutchouc. Il y avait des interstices entre les dalles, irrégulières. Il était facile de trébucher et de tomber. Même les murs étaient dangereux. Aucune protection n'enveloppait les coins et, à différents endroits le long des cloisons, des boulons et des rivets dépassaient. Cet endroit était un véritable terrain miné.

– On peut se blesser facilement ici !

Le garde a ri et m'a fait avancer en me pointant sa matraque dans le dos.

Lorsque nous avons atteint l'infirmerie, il m'a obligé à me déshabiller entièrement. Un méditech à l'air blasé est alors entré dans la pièce et a touché, tâté, scanné et mesuré. Après m'avoir observé sous toutes les coutures, il m'a tendu un petit paquet grand comme ma main, enveloppé dans du plastique.

– Enfile ça.

J'ai déballé le paquet et déplié d'un coup sec une fine combinaison de papier blanc. Je l'ai passée.

– Pas vraiment confortable, ai-je remarqué.

J'avais l'impression de porter un sac en papier.

– Il n'y a aucune protection, ai-je ajouté.

– Il va falloir t'y habituer. Tu ne porteras rien d'autre pendant quelques années.

Il tenait un appareil à la main qui ressemblait à une agrafeuse extrêmement sophistiquée.

– Tends ton bras.

Il a saisi mon poignet, a placé le canon contre mon avant-bras et pressé la détente.

J'ai hurlé et replié violemment le bras.

– C'était quoi ça ?

– Une puce de localisation.

Étant parqués au milieu de nulle part, encerclés par des ours polaires, je me demandais bien quelle en était l'utilité. Si quelqu'un tentait de s'échapper, ils pourraient peut-être identifier l'ours qui avait avalé le fugitif grâce à la puce.

Il m'a tendu un petit sac contenant une brosse à dents, un savon, un peigne et plusieurs feuillets qui expliquaient les règles et le fonctionnement de l'usine McDonald's nº 387.

– Bon séjour.

Un garde m'a reconduit jusqu'à mon nouveau chez-moi : un box d'environ 8 m^2 qui se composait de deux lits superposés, un sanitaire en métal, trois murs de béton sans couche de peinture et un autre mur entièrement fait de barreaux. Une minuscule meurtrière large d'une dizaine de centimètres donnait sur la toundra. Après avoir posé mon sac sur le lit du bas et m'être soulagé, je me suis assis sur mon matelas en fixant la cloison. Au début, je pensais que c'était juste de la crasse, mais à mesure que ma vue s'adaptait à la lumière, j'ai vu les ombres des mots gravés dans le béton, puis effacés. La plupart d'entre eux étaient illisibles, mais je distinguais des fragments de noms, de chiffres et de quelques obscénités enchevêtrés les uns dans les autres, comme dans des strates différentes. Je me suis demandé si j'en viendrais un jour à ajouter ma participation à cet amalgame.

La grille s'est alors ouverte et j'ai relevé la tête. C'était le gros. Je me suis levé et lui ai retourné son regard sanglant. Derrière lui, le garde l'a fait avancer en le poussant avec sa matraque. Il a eu du mal à passer l'ouverture et, d'un coup, ma cellule semblait avoir rapetissé.

Le gros a jeté un œil autour de lui, évalué son environnement et balancé son sac sur la couchette du bas.

– C'est mon lit, ça.

Il a envoyé mon sac sur celui du haut.

– Va te faire foutre.

J'ai fait un pas en arrière. Personne ne m'avait jamais parlé comme ça. Ça dépassait tout ce que j'avais pu dire à Karlohs Furey.

Il s'est assis sur le rebord du matelas et, comme moi quelques minutes plus tôt, a fixé le mur d'un air maussade.

Il ne faisait aucun doute qu'on avait placé ce cachalot dans la mauvaise cellule. J'ai regardé à travers les barreaux, espérant attirer l'attention du garde, mais il avait déjà filé.

Je me suis de nouveau retourné vers ce type obèse et j'ai évalué mes possibilités. J'avais une furieuse envie de l'attraper par sa combinaison en papier, de le virer du lit et de le faire sortir par le trou de la meurtrière, ce qui était rigoureusement impossible : on aurait dit le rocher de Gibraltar.

J'ai opté pour le copinage.

– Pourquoi t'es là ?

Il a préféré m'ignorer. Je me suis assis sur les toilettes, le seul endroit où je pouvais m'asseoir. Lentement, il s'est détourné du mur. Il a cligné des yeux dans ma direction, comme s'il avait déjà oublié ma présence.

– Tu comptes pas nous couler un bronze, j'espère ?

– Je suis juste assis.

– Tant mieux. Cet endroit pue suffisamment comme ça.

Il a soulevé sa hanche et lâché un pet nucléaire.

Je pouvais presque distinguer le nuage de puanteur radioactive qui avançait dans la pièce. J'en ai eu pour mon grade. L'émanation était si nauséabonde que j'ai cru que mes molaires allaient se dissoudre. Me levant d'un bond, j'ai glissé mon visage à travers les barreaux. J'ai attendu que le brouillard se dissipe, en respirant le moins possible.

– Mon odeur te plaît pas ?

– Pas vraiment.

– Peut-être que si je te défonçais le nez, t'aurais plus ce problème.

Là, c'était la goutte d'eau. Si je devais partager ma cellule avec cette gigantesque boule puante, pas question de me laisser intimider. Je me suis rappelé un message de mon frère, qu'il avait envoyé quelques semaines après être parti pour le Nebraska : *La prison, c'est rude, Bo-gosse. Il y a une chose qu'on apprend vite. Il ne faut jamais s'écraser. Si on leur donne la possibilité de nous malmener, ils nous rendent la vie impossible.*

J'ai jeté un regard le plus noir possible au gros.

– Tu veux savoir pourquoi je suis là ?

Il a ri bruyamment.

– Tu t'imagines que ça m'intéresse.

– On m'a condamné parce que j'ai mis en pièces un type à peu près gros comme toi.

Enfin… Disons qu'il était à peu près aussi grand que lui.

– Et ça ne m'a pas demandé beaucoup d'efforts.

Il a levé les sourcils.

– Toi ?

– Ouais, moi. Je lui ai cassé le nez.

Mon cœur battait à tout rompre. J'essayais de rester impassible. Je n'avais jamais eu aussi peur de ma vie. Si ce type décidait de me sauter dessus, il m'écraserait.

– Comment t'as réussi ? Tu es arrivé par derrière et tu l'as frappé avec une massue ?

– Tu veux une démonstration ?

Je me suis forcé à sourire. J'imaginais qu'il me restait trente secondes à vivre. Autant faire bonne figure. Nous nous sommes dévisagés pendant… je ne sais pas… une éternité, peut-être. Puis, complètement incrédule, je l'ai vu détourner le regard.

– Mouais, a-t-il conclu, en se préoccupant de nouveau du mur.

Plutôt content de moi, je me suis rassis sur les toilettes.

– Je m'appelle Bo, lui ai-je dit, avec un sous-entendu amical.

– Eddie Reiner, a-t-il répondu en appuyant son pouce dodu sur son torse. Tout le monde m'appelle Rhino.

J'aurais dû m'en douter.

– Le lit du haut me va.

J'étais d'humeur magnanime. Au fond, je dormirais sans doute mieux au-dessus. Et surtout, je voulais éviter de me faire écraser en plein milieu de la nuit par un tas de graisse de 180 kilos.

– Cool.

– Alors, t'es là pour quoi ?

Il a marmonné quelque chose.

– Quoi ?

– J'ai dit : j'aime bien manger. OK ?

– Ils t'ont mis en prison pour avoir trop mangé ?

– Exact. Au cas où t'aurais pas remarqué, je suis plutôt gros.

21

J'avais entendu dire qu'on envoyait certaines personnes en prison pour autodestruction, mais Rhino était le premier que je rencontrais. Il lui avait fallu quelques minutes pour se mettre à parler, mais une fois lancé, on aurait cru une vraie retransmission internet.

– Il y a deux ans, mes parents m'ont inscrit dans un camp d'amaigrissement. Tu sais, le genre d'endroits où ils te donnent des pousses de soja sautées, des brins de céleri, et de l'eau vitaminée au petit déjeuner et après ça, ils te font courir sur un tapis pendant 2 heures, tous les matins. J'étais là-bas depuis trois mois et j'avais seulement perdu 4 kilos et demi. Les pousses de soja sautées, c'est super bon. Lorsqu'ils m'ont renvoyé chez moi, il m'a pas fallu plus de trois heures pour tout reprendre. C'est là que j'ai vraiment commencé à grossir. On avait une vieille balance à la maison qui indiquait un maximum de 160 kilos. Je l'utilisais de temps en temps, pour voir si j'arrivais à descendre jusqu'au poids maximal indiqué. La dernière fois que je suis monté dessus, elle a explosé.

« Finalement, le type de la SSS à l'école a obligé mes parents à m'envoyer dans l'un de ces centres gouvernementaux de remise en forme. Ils m'ont mis à un régime à 800 calories et six heures de gym par jour. J'ai pas perdu un gramme. Je suis plutôt doué pour trouver de la nourriture quand j'en ai besoin. Mais par contre, j'ai pris du muscle. Tu veux voir ?

J'ai haussé les épaules. Maintenant que j'avais réussi à le calmer, je me fichais pas mal de connaître l'étendue de sa force.

Rhino s'est levé et le simple fait de bouger cette masse du lit devait lui demander pas mal d'efforts. Il a attrapé deux barreaux, un dans chaque main, a respiré un grand coup et les a tordus comme deux spaghettis trop cuits.

Il m'a fait un large sourire.

– Six heures de sport par jour, ça fait les muscles.

– Je vois ça.

Je sentais mon cœur frémir.

– Finalement, ils ont abandonné et m'ont envoyé ici.

Il a redressé les barreaux pour leur redonner leur forme initiale, et m'a regardé.

– T'es cool, toi. T'as des couilles.

J'ai dégluti difficilement. J'avais effectivement des couilles, mais à cet instant, j'avais l'impression que mon ventre les avait aspirées.

– Je voulais pas vraiment te défoncer le nez. Simplement voir ta réaction.

Rhino est retourné s'asseoir.

– Dans cette ferme pour obèses, j'y suis resté cinq mois, ils ne comprenaient pas pourquoi je n'arrivais pas à perdre de poids. Ça les rendait tous dingues. En fait, j'avais trouvé un moyen de rentrer dans la cuisine. Toutes les nuits j'y allais en douce et je m'empiffrais. Ils n'y auraient vu que du feu si un soir, j'avais pas craqué pour un gros plat de lasagnes. Ils s'en sont rendu compte. Quelques jours plus tard, ils m'ont pris le nez dans un bac de pâte à brownies. Et voilà pourquoi je suis ici.

– T'es là pour combien de temps ?

– Quatre-vingt-dix.

– Quatre-vingt-dix jours ?

– Non, 90 kilos. Jusqu'à ce que je perde 90 kilos. Ou alors jusqu'à ce que je meure.

– Dur.

– Tu crois ? Hé, t'as quelque chose sur toi ?

– Sur moi ?

– Oui, tu sais... quelque chose à manger ?

Ses yeux se sont légèrement agrandis.

– Désolé.

Il a grommelé, déçu :

– Tant pis. Il paraît qu'il y a tout ce qu'il faut pour grignoter ici. C'est du genre « buffet à volonté ».

– Qu'est-ce qu'ils fabriquent dans cette usine ?

– T'es pas au courant ?

J'ai secoué la tête.

– T'aimes la pizza ?

Cette première nuit, au 3-8-7, j'ai rêvé de mon père. Je le pourchassais dans un corridor bondé et, comme je courais trop vite, je me cognais aux passants. Maddy est alors apparue devant moi. Sa chevelure noire jaillissait et disparaissait selon les mouvements de la foule. J'ai voulu crier son nom, mais seul un souffle d'air s'est échappé de mes lèvres. J'ai essayé de la rejoindre, mais je m'enfonçais jusqu'aux chevilles dans le sol en Adzorbium. J'ai avancé péniblement de quelques pas, avant de m'enfoncer dans l'Adzorbium jusqu'aux genoux. J'ai remarqué que les autres portaient tous des chaussures spéciales, qui leur permettaient de rester à la surface. J'ai poussé un cri de rage et de frustration. Puis la terre a tremblé. Quelque chose s'est effondré derrière mon dos.

Mes yeux se sont ouverts brusquement. Un plafond d'un gris sombre pesait à quelques dizaines de centimètres de mon visage. J'étais prisonnier de ma couverture. À nouveau, quelque chose s'est écrasé contre mon dos.

– Hé, réveille-toi !

C'était la voix de Rhino. Il donnait des coups de pied dans mon matelas.

– Ça va, je suis réveillé.

Il a envoyé un dernier coup contre mon lit.

– Bon. C'est qui, ce fichu Manny ?

– Manny ?

J'avais probablement crié le nom de Maddy.

– Aucune idée.

– Ben t'avais l'air de l'engueuler. Y a intérêt à ce que tu ne recommences pas un cirque pareil tous les soirs.

– J'espère pas non plus, ai-je répondu.

Le souvenir du rêve me laissait un goût de nausée. Maddy. Je me fichais pas mal de ne plus jamais la revoir.

22

Je croyais que j'allais ramasser des fruits, casser des cailloux, nettoyer les caniveaux, ou replanter les forêts, quelque chose comme ça, les trucs auxquels on pense habituellement quand on parle de travaux forcés. Peut-être qu'ils me feraient réparer les routes, comme mon frère, ou décapiter les crevettes, comme mon père.

Mais je n'imaginais pas du tout préparer des pizzas.

Vous êtes sans doute au courant de cette marotte rétro pour la pâte à pizza « lancée en l'air ». Il n'y a pas si longtemps, les pizzas étaient considérées comme un plat de vieux, comme le porridge ou les hamburgers. Dans la plupart des villes, on trouve encore une ou deux pizzérias, qui proposent des livraisons à domicile pour les viocs, mais personne parmi mes connaissances ne mangeait de ce truc. Jusqu'à ce que, récemment, Keanu Schwarzenegger confie au magazine *PeopleTime* qu'entre les prises, sur les plateaux de tournage, il savourait volontiers une pizza à la saucisse lancée-main, garnie-main. C'est de là que tout est parti.

Après ça, tous les gens cool se sont empiffrés de pizzas haut de gamme à 300 V$ avec un accompagnement de pain fourré au fromage.

Moi, à l'époque où j'avais le choix, je refusais tout net d'avaler ça. C'était comme du sang vomi sur une grande galette. Non, merci. Mais les commerciaux de McDonald's y ont vu le début d'une mode. Ils ont développé toute une gamme « grands gastronomes, extra fromage, pétrie et garnie à la main ». Aujourd'hui, vous pouvez aller dans n'importe quel McDonald's et commander la pizza Luigi McDonald's originale lancée-main, à choisir parmi huit saveurs différentes, pour 89,99 V$.

On m'avait affecté à l'équipe « Chorizo ». Il faut quatre ouvriers pour préparer une pizza Luigi McDonald's originale lancée-main au chorizo. Le lanceur, le saucier, le fromager et le tireur. Tout le reste est fait par des machines. Moi, j'étais le tireur. On m'appelait comme ça parce que j'avais le pistolet à chorizo. Voilà comment ça marche : quatre types sont positionnés devant un tapis roulant. Le lanceur, tout à gauche, puis le saucier, le fromager, et enfin le tireur. Toutes les douze secondes, un Masteripâte B720 gros comme un bus largue avec un gros *ploc* un disque de pâte à pizza toute chaude. Le lanceur l'attrape, la fait tourner, la lance deux ou trois fois et la redépose sur le tapis. Comme la pâte a déjà la forme d'une pizza lorsqu'elle arrive au lanceur, son rôle consiste simplement à lui imprimer cette forme artisanale, imparfaite, qui donne l'impression qu'on l'a pétrie et lancée à la main. C'est plus compliqué que ça en a l'air.

Le tapis avance, amenant la pâte vierge au poste suivant, où le saucier dépose 200 millilitres de sauce tomate sur la pâte en actionnant la manette au-dessus de sa tête. Puis il l'étale avec un instrument semblable au manche d'une spatule en plastique. Le mécanisme se remet en marche et le fromager s'occupe de répandre le fromage, avec un pistolet qui envoie des tas de mozzarella filandreux comme des toiles d'araignées. Ensuite, c'était mon tour. Mon pistolet à chorizo ressemblait à un sèche-cheveux. Les boudins de chorizo dépassaient à l'arrière et étaient reliés comme une longue corde en spirale au bac accroché au plafond. Un bac de chorizo peut garnir jusqu'à 1 800 pizzas.

Lorsque j'appuyais sur la gâchette, les tranches de chorizo en sortaient plus vite que leurs ombres. Une seule pression suffisait à obtenir vingt-six fines tranches de chorizo. Quand j'étais en forme, j'arrivais à les faire atterrir là où je le voulais, mais la plupart du temps, il fallait les repositionner rapidement. La garniture devait sembler artisanale tout en étant bien répartie. Douze secondes plus tard – ce qui est très court pour garnir une pizza –, elle était transmise au service de congélation et de conditionnement.

Rhino et moi faisions partie de la même équipe. Ce n'était pas un mauvais fromager, ses gestes étaient plutôt vifs et gracieux, si surprenant que cela puisse paraître pour quelqu'un de sa corpulence. S'il avait quelques secondes d'avance, Rhino en profitait pour s'enfourner le pistolet dans la bouche et s'en envoyer une bonne rasade. En plus d'être particulièrement écœurant à voir, ça déclenchait sans arrêt l'alarme qui régulait les proportions des ingrédients: une voix nasillarde sortait des haut-parleurs en glapissant qu'on utilisait trop de fromage. On avait surnommé Rhino «Mozza».

Quand on fait partie d'une équipe, on apprend à contrôler chacun de ses mouvements. La cadence du poignet, la manière dont on pivote sur soi-même, dont on garde l'œil sur ce qui arrive et l'autre sur ce qu'on est en train de faire: chaque petit détail devient crucial parce que si la moindre manipulation ne se passe pas comme elle devrait, le moteur vibre, crisse et s'arrête. Pâthos, Globule, Mozza et moi: les quatre rouages d'une machine à pizzas humaine.

Pour peu qu'on soit synchro, c'était le quart d'heure poétique:

– Hé, Pâthos, active-toi un peu, caïd.

– Saigne ta sauce, Globule.

– Fais-la-nous crémeuse, Mozza.

– Envoie la saucisse, grand fou.

À peine une semaine après notre arrivée, nous étions déjà l'équipe la plus rapide du 3-8-7. On tournait à 280 pizzas à l'heure, pour un total qui dépassait les 4000 pizzas à la fin de notre journée de seize heures.

Comptez sur McDonald's pour trouver un moyen de préparer des pizzas spéciales super gastronomes faites à la main en moins de temps qu'il ne faut pour courir un 100 mètres.

On s'imagine qu'après seize heures de boulot, on dort du sommeil du juste. Pourtant, la nuit, je cauchemardais.

eut-être du manque de drogue.
evulor depuis notre arrivée au
les ouvriers moins productifs.
ver. De Maddy, de Karlohs. Les
ussi, souvent : Karlohs qui lançait
et Karlohs qui mangeaient des
tirait dessus avec mon pistolet à
addy dans le lit de Rhino.
réveillais aussi épuisé qu'énervé.
antine, Rhino m'a dit :
e des grognements bizarres cette

?

– Un type que j'aimerais bien tuer.

– Ça serait bien que tu le fasses rapidement, parce qu'il m'empêche de dormir comme la Belle au bois dormant.

23

Salut M'man !

C'est enfin mon tour d'utiliser le WindO. On n'en a qu'un par bloc, où on est une quarantaine, donc il faut s'inscrire plusieurs jours à l'avance pour pouvoir le réserver. L'ancienneté compte aussi, et moi je viens seulement d'arriver. Bref, j'ai dix minutes, donc voici les nouvelles.

La prochaine fois que tu iras dans un McDonald's, prends une pizza au chorizo. Il y a de grandes chances pour que ce soit l'une des miennes. Eh oui. J'ai le pistolet à chorizo. Tireur d'élite du 3-8-7.

Ça n'est pas si terrible, ici. Les autres pizzaiolos de la prison sont sympas, à part quelques-uns. Je me suis déjà fait quelques copains, et je me tiens

tranquille. Le pire, c'est la nourriture. On ne nous donne que des restes de pizzas et du Pepsi. Tu savais que la pizza contient tous les nutriments nécessaires à la survie de l'être humain?
Enfin, c'est ce qu'on nous a dit.

Les dix minutes sont écoulées! Passe le bonjour à Grand-Père. Fais attention à toi.

Bisous,
Bo.

Au début, le régime pizzas ne me gênait pas trop. Parfois, les ouvriers rajoutaient exprès de la garniture. Les pizzas, trop lourdes, étaient refoulées par l'équipe de l'autocontrôle, et le soir, elles atterrissaient dans nos assiettes. Après une semaine de pizzas trois fois par jour, on en a vite eu assez. Je ne pourrai plus jamais avaler une bouchée de pizza de ma vie.

La cantine, c'était à peu près la seule occasion de faire connaissance avec les types qui ne faisaient pas partie de notre équipe. Quelque part, c'était un peu effrayant. Imaginez trois cents adolescents, emprisonnés pour des actes d'imprudence, des comportements antisociaux, fatigués et agressifs après leurs seize heures de travail, parqués dans la même pièce où ils s'empiffrent de pizzas pour le énième repas d'affilée. Il se passait rarement un jour sans qu'il y ait du grabuge.

Tout comme les établissements scolaires, le 3-8-7 était truffé de caméras, de micros et de capteurs en tous genres.

N'importe quelle infraction aux règlements pouvait signifier un mois d'emprisonnement supplémentaire, il fallait donc bien faire attention à ne pas voler, ne pas dégrader le matériel appartenant à la société, respecter nos quotas et ne pas blesser un autre ouvrier. La plupart d'entre nous se tenaient à carreau. L'ambiance était du genre « tiens-toi tranquille si tu veux qu'on te laisse tranquille ».

Mais je me suis vite rendu compte que les règles n'étaient pas les mêmes pour tous. Il y avait un groupe d'une vingtaine de types qu'on appelait les Mordorés. On ignorait pourquoi, mais ils n'étaient pas obligés de porter la combinaison en papier blanc, comme les autres. On leur avait donné des jeans et des T-shirts jaune d'or.

J'ai demandé à Pâthos, notre lanceur de pâte, de m'en dire un peu plus sur ces Mordorés.

– Contente-toi de te tenir loin d'eux.

Pâthos était un brave type. Il avait été condamné pour piratage informatique et son corps maigrichon ne contenait pas le moindre gramme de violence.

– Ce sont les chouchous de Martel.

Les Mordorés étaient les prisonniers d'élite du 3-8-7. Forts, assurés, ils faisaient plus ou moins ce qu'ils voulaient et recevaient un traitement de faveur de la part des employés de la cantine. Pendant que nous faisions la queue pour avoir nos portions de pizzas, les Mordorés mangeaient des Fridélice®, des croquettes de crevettes, des fajitas de poisson, et tout un tas de trucs délicieux.

– Ils ont certains privilèges, a expliqué Pâthos. Ils ont des menus plus alléchants. Et ils ne travaillent que quarante heures par semaine.

Fragger Bruste était le pire des Mordorés. Il semblait le type le plus sympa du monde, beau comme un acteur de vidéo, avec un sourire avenant, mais il avait le diable au corps. Le jour où je suis arrivé, nous prenions notre repas du soir à la cantine (de la pizza, évidemment) et j'ai vu Fragger s'avancer vers un gamin, un saucier nommé Alex. Fragger arborait une mine réjouie, comme s'il s'apprêtait à serrer Alex dans ses bras. Au lieu de ça, sans aucune raison, il a planté une fourchette en plastique dans le crâne du gamin.

Alex était trop stupéfait pour faire quoi que ce soit – non qu'il y ait eu grand-chose à faire. Il est resté bêtement sur son siège, avec les dents de la fourchette enfoncées dans la tête, avec ce manche blanc qui pointait en l'air comme une antenne.

Fragger semblait trouver ça hilarant.

Le type assis à côté d'Alex s'est penché vers lui et a tiré sur la fourchette d'un coup sec. Presque immédiatement, le sang s'est mis à couler sur sa nuque. On dit que les blessures crâniennes saignent beaucoup. C'est vrai.

Je m'attendais à ce que les Bleus – c'est comme ça qu'on appelait les gardiens – se précipitent et fassent subir à Fragger une terrible punition, mais ils n'ont rien fait. Fragger, une fois remis de son fou rire, a proposé à Alex de l'emmener à l'infirmerie. Alex, qui tentait d'essuyer ses paupières recouvertes de sang, a refusé (le temps passé à l'infirmerie n'était pas décompté des heures de travail). Le lendemain, Alex et Fragger se comportaient comme s'il ne s'était rien passé.

Au début, je ne comprenais pas. Quel était l'intérêt pour McDonald's de laisser ses ouvriers en blesser d'autres? Puis, après y avoir réfléchi, j'ai fini par comprendre. Enfin, plus ou moins. Martel nous l'avait dit, le jour de notre arrivée : il avait plus de mains qu'il ne lui en fallait. Nous devions nous prendre en charge. Personne ne nous surveillerait. Et si je ne faisais pas très attention, un de ces quatre, j'allais me retrouver avec une fourchette plantée dans le crâne. Ou pire.

Beaucoup s'étaient regroupés en clans, pour mieux se protéger. Une vingtaine de Noirs s'asseyaient toujours ensemble pendant les repas et se soutenaient les uns les autres. Il y avait les Coréens, les Thaïs, les Indiens et un groupe qu'on surnommait « le gang des Suédois » : ils avaient tous les cheveux blonds et les yeux bleus. Pour le reste d'entre nous, qui étions tous moitié-moitié de quelque chose, il était plus difficile de savoir avec qui se regrouper.

Pâthos et moi, on restait le plus près possible de Rhino, suffisamment énorme pour dissuader même un type comme Fragger.

Du coin de l'œil, je lorgnais sur le Fridélice qu'un Mordoré avait entamé. J'en avais l'eau à la bouche. J'avais toujours adoré les Fridélice, surtout les tofu-bacon. Mais c'était curieux d'en trouver ici, dans une usine McDonald's. Les Fridélice étaient fabriqués par Coca, le concurrent le plus sérieux de McDonald's.

– Comment on devient Mordoré ? ai-je demandé.

– Il faut rentrer dans l'équipe.

– L'équipe ? Quelle équipe ? Comment on rentre dans l'équipe ?

– Il y a des essais à peu près tous les quinze jours. Mais tu es sans doute un peu trop mince. Il faut être assez large, comme Rhino.

– On peut dire que je suis large, a répondu Rhino en engloutissant sa sixième part de pizza.

Un hurlement aigu a alors interrompu la clameur métallique du réfectoire. J'ai levé la tête et aperçu Fragger, plié de rire près d'un pauvre gamin allongé par terre, qui se tenait l'entrejambe en se tordant de douleur.

– N'importe qui peut passer les essais ?

Pâthos a éclaté de rire.

– On ne demande pas ton avis, grand fou. Mais à ta place, je ne me réjouirais pas trop à l'avance.

24

Pâthos avait raison. Quelques jours plus tard, une horde de Bleus ont escorté tous les nouveaux arrivants hors du bâtiment. Notre troupeau épars s'est massé à l'une des extrémités du terrain grillagé. Un vent glacial froissait nos frêles combinaisons de papier.

J'étais épuisé. Je sortais d'une série d'insomnies entrecoupées de cauchemars. Maddy qui lançait de la pâte à pizza. Karlohs qui brandissait des fourchettes en plastique.

Quelques minutes plus tard, Martel a fait son apparition, cahotant sur son quad. Cinq ou six Mordorés étaient assis derrière lui, agrippés à l'engin.

Martel et ses Mordorés sont descendus du quad. Il n'avait pas changé depuis la dernière fois, mais il tenait un objet marron, plus ou moins ovale, légèrement pointu aux extrémités. Il l'a lancé en l'air et l'a rattrapé. L'a lancé encore et rattrapé de nouveau.

– Alors les clous, vous vous plaisez au 3-8-7? a-t-il demandé.

Personne n'a répondu.

– Vous commencez à en avoir marre, de la pizza ?

Quelques-uns ont hoché la tête.

– Eh bien, p'tits clous, je vous offre la possibilité d'élargir vos horizons culinaires. Est-ce que quelqu'un sait ce que c'est ?

Il passait l'objet marron d'une main à l'autre.

Nous le regardions fixement, en claquant des dents.

– Aucun d'entre vous n'en a jamais vu avant ?

– On dirait un ballon de football américain, ai-je dit.

– Tout juste, le clou. T'as déjà joué au football ?

– Non, monsieur. Le football est illégal.

Il a éclaté de rire, toujours en rejetant la tête en arrière.

– Et le reste de cette bande de chochottes ? Personne n'a jamais essayé ?

Tout le monde l'observait, en se demandant dans quel genre d'asile de fous on avait atterri.

– Toi ! (Il a pointé un index charnu vers moi.) Rattrape-moi une passe.

– Une passe ? Mais je… C-comment ça ?

– Cours, gamin !

Il a fait un signe vers le fond du terrain.

– Mais… je n'ai pas mon équipement de course.

– Cours !

J'ai commencé par un petit trot dans la direction qu'il avait indiquée. Sans les supports et les protections, j'avais l'impression d'être nu et je jetais des regards nerveux par-dessus mon épaule.

– Allez, le clou, cours !

J'ai accéléré, sans cesser de regarder derrière moi. J'avais parcouru une dizaine de mètres lorsqu'il a étiré son bras en arrière et envoyé le ballon dans ma direction.

C'était bien la dernière chose à laquelle je m'attendais. Le ballon arrivait droit sur moi, avec une vitesse et une puissance inimaginables. J'ai voulu lever les bras pour arrêter sa course, mais trop tard. L'extrémité du ballon a percuté ma poitrine. Le souffle coupé, je suis tombé à la renverse sur l'herbe sèche et roussie.

La voix rocailleuse de Martel m'a rappelé à l'ordre :

– Misère, gamin. Il faut le rattraper, ce ballon, pas le laisser rebondir sur ta tête !

Je me suis assis, haletant, une main sur le torse, là où le ballon m'avait défoncé les côtes.

Les Mordorés me regardaient avec un sourire sardonique.

– Bien joué, a dit Fragger en souriant de toutes ses dents.

– Ne reste pas planté là, a braillé Martel, ramasse-le !

Le ballon était retombé quelques mètres plus loin. Je me suis péniblement remis sur mes jambes, j'ai pris le ballon et je suis revenu vers Martel.

– Lance-le-moi !

J'ai senti la colère monter en moi. Les mains tendues, il voulait le récupérer. J'ai tenté de canaliser toute ma rage dans mon bras et je me suis arqué en arrière, l'épaule tendue avant d'éjecter le ballon aussi fort que possible.

Le ballon s'est élevé mollement dans les airs puis est redescendu, trop tôt. Il est retombé quelques mètres avant la cible et a roulé jusqu'aux pieds de Martel. Les Mordorés ont éclaté de rire.

– C'est tout ce que t'as dans le ventre, le clou ? J'espère pour toi que tu aimes la pizza.

D'une main, Martel a rattrapé la balle.

– Va te poser là-bas, le clou. T'es vraiment bon à rien.

Frustré et humilié, je suis allé m'asseoir à côté du bâtiment, le dos appuyé contre le mur de métal glacé.

– OK, laquelle de ces petites frappes si malignes veut prendre la suite ?

Les uns après les autres, ils ont tous dû tenter de rattraper les passes de Martel, puis de lui renvoyer le ballon. Quelques-uns seulement ont réussi à l'attraper. Rhino n'a même pas fait semblant d'essayer : le ballon a rebondi sur son corps aussi lentement qu'une boulette de papier. Et personne n'était parvenu à le lancer correctement.

Très vite, la plupart d'entre nous se sont retrouvés assis dos au mur de métal.

– Eh ben les gars, on peut dire que je suis déçu, a conclu Martel, résigné. J'espérais au moins en trouver certains à la hauteur, mais franchement, vous avez tous l'air minable.

Il a tendu le ballon devant lui, fait deux pas en avant et lui a donné un coup de pied, qui l'a envoyé rouler à l'autre bout du terrain.

– Toi !

Il m'a planté son gros doigt dans l'épaule.

– T'es pas capable de rattraper le ballon, mais voyons un peu si tu vaux quelque chose en offensif.

Je me suis levé lentement. Je ne comprenais pas vraiment ce qu'il attendait de moi.

– Remue ton cul rouillé, le clou. Tu vas me chercher ce ballon là-bas.

J'ai trottiné le long du terrain.

– Cours, bon sang !

J'ai légèrement accéléré. J'ignorais ce qui se préparait, mais ça ne présageait rien de bon. À l'autre bout du terrain, j'ai ramassé le ballon et me suis retourné.

Au centre du terrain, trois Mordorés penchés vers l'avant, les mains sur les genoux, attendaient patiemment en me souriant.

– Ramène-moi ce ballon, le clou ! a crié Martel.

J'ai fait quelques pas, indécis. Les Mordorés avançaient dans ma direction. Je suis parti sur la gauche, vers le bâtiment, pour tenter de les contourner, mais ils ont imité mon mouvement, me barrant le passage.

– Ne reste pas planté là, le clou ! Apporte-moi cette fichue balle, a vociféré Martel.

J'étais marqué. Ils n'étaient que trois, mais ils formaient un véritable rempart doré.

J'ai trottiné vers l'arrière pour me donner une marge de manœuvre suffisante. Le plus large des trois, un type nommé Gorp, s'est détaché de la formation et est arrivé droit sur moi. J'ai sprinté en direction du grillage et, pris de panique, j'ai accéléré et l'ai dépassé… pour être de nouveau bloqué par un autre Mordoré. J'ai feinté d'un côté, de l'autre. Il a plongé sur mes jambes. J'ai sauté pour l'enjamber, mais pas assez haut : mon genou s'est écrasé sur son visage et je suis retombé la tête la première, comme un saut périlleux accéléré. Il m'a fallu moins d'une seconde pour me relever, les jambes tremblotantes, la balle toujours coincée sous le bras, et les deux Mordorés à mes trousses. Alors j'ai couru. J'ai couru comme jamais je ne l'avais fait auparavant, jusqu'à ce que la terre sous mes pieds ne soit plus qu'un flou jaunissant. Je ne me suis retourné qu'après avoir tendu le ballon à Martel.

– Pas mal, le clou. On dirait bien que tu as eu Rogers.

Au milieu du terrain, le Mordoré à qui j'avais donné un coup de genou se tenait le nez. Son T-shirt était trempé de sang.

– C'était un accident, ai-je répondu, le cœur battant, non sous l'effet de la peur, ou de l'épuisement, mais bel et bien de l'euphorie.

Martel a renvoyé d'un coup de pied le ballon à l'autre bout du terrain.

– Recommence, Marsten. Refais-moi voir un accident.

Je me suis dirigé vers la balle en trottinant. Si j'avais pu leur échapper une fois, je pourrais sans doute le refaire. Et Martel m'avait appelé par mon nom. C'était plutôt bon signe, non ?

J'ai pris le ballon et je me suis retourné, enhardi, mais les règles avaient changé. Il n'était plus question de trois Mordorés : ils étaient maintenant six – Fragger et son horrible sourire en tête – à courir dans ma direction.

25

Lorsque j'ai rouvert les yeux, je n'ai vu qu'un morceau de ciel bleu encadré par un cercle de visages qui m'observaient. La première d'une longue série de visions similaires.

– Il revient à lui.

– J'ai pas dû y aller assez fort, a dit Fragger. Hé ! (Il a enfoncé le bout de son pied dans mon épaule.) T'es réveillé ?

J'ai senti mes lèvres remuer, et quelque chose, semblable à un son, a paru s'en échapper.

– Je crois qu'il a dit quelque chose, a observé Rogers, le nez truffé de lambeaux de mouchoirs ensanglantés.

Le visage de Martel est apparu dans le cercle.

– Parle-moi, gamin.

– Va te faire… a répondu ma bouche.

Un silence. Pendant quelques secondes, Martel m'a jeté un regard incrédule.

– T'es sonné, gamin, donc je laisse passer pour cette fois. Tu peux te lever ?

J'ai essayé une fois. Puis deux. À la troisième tentative, j'ai réussi à basculer et à me mettre à quatre pattes.

– Allez, gamin. Je veux te voir debout.

J'ai ramené mes pieds vers l'avant et me suis relevé. Rien ne semblait cassé.

– Ça va, tes jambes ?

J'ai hoché la tête.

– Bien.

Il a fait un signe en direction des autres prisonniers adossés au mur du bâtiment.

– Alors sers-t'en pour aller t'asseoir là-bas.

Encore chancelant, j'ai traversé le terrain, ma combinaison de papier tachée et en lambeaux.

Martel a renvoyé le ballon au fond du terrain d'un nouveau coup de pied.

– Allez, les clous. À qui le tour ?

Durant la demi-heure qui a suivi, j'ai assisté à plus de scènes de brutalité que je n'en avais vu de toute ma vie. Évidemment, j'ai vu bien pire depuis.

Finalement, seuls deux d'entre nous ont réussi à passer le ballon au-delà du mur de Mordorés : moi et Rhino. À la fin des essais, six étaient partis à l'infirmerie – dont trois Mordorés.

C'est Rhino qui avait causé de la casse. Lorsque son tour est arrivé, il a pris tout son temps pour rejoindre le ballon, sans tenir compte des encouragements de Martel, qui lui suggérait de « se magner un peu, Gros Tas ». Rhino a attrapé la balle et s'est retourné vers les trois Mordorés.

– Allez, Gros Tas, ramène-moi la balle !

Rhino a coincé le ballon sous son bras droit – où il a disparu sous des bourrelets de graisse – et a commencé à courir. Au début, on aurait cru qu'il marchait, mais on l'a vu gagner de la vitesse, comme un train de marchandises à l'arrêt qui se serait soudain mis en branle.

Il piétinait la terre tassée et ses coudes dodus battaient d'avant en arrière. À chaque foulée, tout le haut de son corps vibrait et tremblotait. On aurait dit un sac de gelée en pleine course. Les trois Mordorés riaient. J'aurais bien ri aussi, mais j'étais persuadé que Rhino était sur le point de se faire massacrer.

Au milieu du terrain, Rhino avait atteint l'époustouflante moyenne d'environ 8 km/h, soit la vitesse de croisière d'une mamie qui trottine pour attraper son bus. Le premier Mordoré sur son chemin, un type du nom de Bullet, se déplaçait deux fois plus vite. Ils se sont percutés de plein fouet. Bullet a envoyé sa large épaule dans le ventre de Rhino.

Bullet a rebondi.

Loin d'être ralenti, Rhino avait pris de la vitesse. Bullet est retombé cul par-dessus tête, et a fini son tonneau sur le dos, sans connaissance.

Gorp, le second Mordoré dans sa ligne de mire, a tenté une stratégie différente. Il s'est faufilé derrière Rhino et a sauté sur son dos. L'idée était sans doute d'utiliser son poids et sa vitesse pour faire tomber Rhino la tête la première dans la boue. Ça aurait dû marcher. Gorp était une armoire. Il devait peser dans les 100 kilos. Mais Rhino a envoyé sa main gauche derrière son dos, a saisi Gorp et l'a flanqué par terre.

Lorsque Gorp a percuté le sol, tout le monde a entendu sa clavicule se briser.

Le dernier Mordoré, un gamin rougeaud du nom de Rush, passait pour un gringalet avec ses 90 kilos. Il a tenté de plaquer Rhino en se jetant par-derrière sur l'un de ses genoux, et en glissant ses deux bras autour de son énorme jambe. Il a bien failli réussir. Rhino a continué à avancer, mais le type pendu à sa jambe gauche le ralentissait sérieusement. Après l'avoir traîné sur une dizaine de mètres, il s'est arrêté net, l'a décroché de son mollet comme on enlève une chaussette et l'a envoyé sur le côté, avant de poursuivre sa route.

Martel a reçu le ballon sans un mot. Il a d'abord lancé un regard incrédule à Rhino, puis aux trois Mordorés blessés. Le premier était toujours inconscient, Gorp se tenait l'épaule et Rush, resté par terre, observait Rhino avec un mélange de perplexité, de crainte et d'admiration.

Rhino a rejoint pesamment le mur du bâtiment et s'est assis près de moi.

– Tu crois que je suis pris dans l'équipe ?

– Pris dans l'équipe ? Je dirais plutôt que tu l'as pulvérisée, l'équipe.

Cette nuit-là, ni Maddy ni Karlohs n'ont fait d'apparition dans mes rêves. À la place, une horde de Mordorés me poursuivaient. Je suis tombé et ils se sont jetés sur moi, en sautant à pieds joints sur mon dos. J'ai ouvert les yeux en criant. Mon matelas semblait s'être animé : il s'en prenait à ma colonne vertébrale.

– Ça va, ça va ! ai-je dit, me cramponnant aux barreaux pour ne pas passer par-dessus. C'est bon, je suis réveillé.

Les coups de pied ont cessé.

– Tu faisais encore des bruits bizarres, a grogné Rhino.

Je me suis assis sur mon lit. J'avais l'impression qu'un troupeau de Mordorés m'avait piétiné le dos.

– J'ai fait un cauchemar.

– Oui, merci, j'avais compris.

– Alors la prochaine fois, tâche de frapper moins fort.

– Désolé. Tu rêvais toujours de ta copine ?

– Plutôt que j'étais poursuivi par un groupe de Mordorés.

– Ah.

Pendant quelques secondes, aucun de nous n'a ajouté un mot, puis Rhino a brisé le silence.

– Dis, Bo… Tu crois que ces types que j'ai cognés sont vraiment blessés ?

– Je pense que tu as cassé la clavicule de Gorp.

– Je ne l'ai pas fait exprès.

J'ai éclaté de rire.

– Qu'est-ce qu'il y a de si drôle ?

– Toi. Tu as foncé sur eux comme une vraie locomotive.

– Ils étaient sur mon chemin. Je ne voulais pas leur faire mal.

– Tu plaisantes, hein ?

– Je ne veux pas que les gens aient peur de moi.

– Mais tu veux être un Mordoré, non ?

Il a réfléchi un moment avant de répondre :

– Je ne serais pas contre des Fridélice, histoire de changer un peu.

Le lendemain matin, nous avions pointé depuis à peine deux heures lorsqu'un Bleu est venu nous chercher, Rhino et moi.

– On va où ? ai-je demandé.

– Tu verras bien.

Nous sommes sortis du bâtiment de production, avons traversé le réfectoire, un couloir sombre puis une série de portes battantes jusqu'à un vestiaire. Il n'y avait pas de casier, rien que des bancs placés sous des crochets et quelques douches dans un coin, mais j'avais reconnu le vestiaire au fumet subtil, distillant sueur et chaussettes sales.

Le Bleu nous a conduits à une porte en acier.

– Allez-y, ils vous attendent.

Ils nous attendaient ? Tout ça ne me plaisait pas du tout. Rhino et moi sommes restés immobiles.

– On n'a pas toute la journée.

Le Bleu a voulu pousser Rhino avec sa matraque. Elle a disparu sur plusieurs centimètres, mais Rhino n'a pas bougé. Il s'est retourné et a jeté un regard mauvais au garde. Celui-ci a rangé rapidement son bâton et fait quelques pas en arrière.

Rhino a finalement haussé les épaules et ouvert la porte. Le flot soudain de lumière nous a d'abord éblouis. Rhino est sorti et je l'ai suivi, une main au-dessus des yeux. La porte s'est refermée bruyamment derrière nous.

Nous étions sur le terrain, devant un rideau de feu. Je clignais des yeux, pour m'habituer à la clarté. Ce n'était pas un rideau de feu, mais ça n'était pas moins dangereux – nous étions encerclés par les Mordorés.

Ils étaient tous là. Je me suis retourné vers la porte et j'ai compris qu'elle ne se rouvrirait pas de l'extérieur. Rhino a laissé échapper un léger grognement, il a écarté les jambes et rentré la tête entre ses épaules, comme une tortue. Je scrutais ce cercle de visages grimaçants, cherchant désespérément une ouverture. Gorp, le bras en écharpe, se trouvait au centre. À côté de lui, Fragger passait le ballon entre sa main droite et sa main gauche.

Je me préparais à recevoir la raclée du siècle.

Mais sans cesser de sourire, ils se sont tous mis à applaudir.

Nous faisions partie de l'équipe.

26

Lorsqu'on intègre les Mordorés, on mange mieux, on dort plus et on est respecté des Petits Papiers – comme on appelait les autres détenus. Je n'avais plus à craindre d'être frappé ou embroché par Fragger et, évidemment, j'avais désormais un T-shirt doré et un jean. J'ai pu les porter dès le premier jour; ceux de Rhino en revanche, vu l'énormité du gabarit, ont dû être taillés sur mesure.

Mais être un Mordoré ne signifiait pas non plus s'empiffrer de Fridélice et bayer aux corneilles toute la journée. Il fallait travailler, comme tout le monde. On nous a transférés de l'équipe Chorizo au département des réceptions et expéditions, où tous les Mordorés étaient affectés. Huit heures durant, nous devions emballer et encartonner des pizzas surgelées, décharger les marchandises des camions, ou toute autre tâche qui nécessitait de soulever, pousser, tirer ou frapper.

Cela faisait partie de la préparation.

Après une courte pause Pepsi-Fridélice, nous commencions nos quatre heures de véritable entraînement, qui se composait d'haltérophilie, de gymnastique suédoise, d'exercices sur le terrain, d'étude tactique et de mêlées. Apparemment, les Mordorés ne vivaient que pour le football. Nous étions le gang de Martel et ce que Martel aimait par-dessus tout, c'était de voir l'un de ces bons vieux matchs de football violent et remuant à souhait.

L'idée même de pratiquer un sport de contact vous paraît sans doute insensée. Les sports où les joueurs sont censés se percuter volontairement à pleine vitesse sont de toute façon absurdes. Croyez-moi, ça l'est. Et le faire sans protection, casque, support, masque ou gants, c'est de l'hystérie pure et simple. On terminait nos semaines avec une moyenne de trois blessures. Pendant ma première quinzaine, sont survenus : un traumatisme crânien, deux fractures, une luxation d'épaule, deux doigts disloqués et un nez cassé. Les foulures, ecchymoses, et autres coupures se comptaient par dizaines.

Lors de mes premiers essais, j'étais terrifié. Martel voulait absolument m'apprendre à rattraper le ballon. C'est Fragger qui me faisait la passe. Il fallait que je la bloque, et que j'amène la balle à l'opposé du terrain. Un mur de Mordorés me fonçait dessus en sens inverse. J'avais beau lâcher la balle, rien à faire : ils me plaquaient quand même.

Chaque soir, j'allais me coucher fourbu, contusionné et courbaturé. Lorsque je me réveillais le matin, c'était pire. Mais j'ai fini par apprendre. Apprendre à scruter le ciel à la recherche du ballon et à oublier le reste du monde le temps de cette unique seconde cruciale. Rien que moi et le ballon. Apprendre à éviter les chocs et à les atténuer. Je me suis aussi fait à l'idée de prendre des coups. Il y avait plus incroyable encore : chaque jour, on se passait tous à tabac. Et en dépit de cela, nous sommes tout de même devenus bons amis. Nous faisions partie de la même équipe. Nous avons appris à nous fier les uns aux autres. Même Fragger se révélait finalement un type sympa – à condition d'être de son côté.

Bien entendu, nous avions parfois des différends. Comme le jour où les choses se sont gâtées avec Bullet.

Martel nous avait divisés en deux groupes. J'étais en attaque. Nous tentions une tactique de jeu renversé appelée le « Sursaut de la puce ». Fragger, le *quarterback*, me faisait une passe. Je devais amener le ballon jusqu'à la ligne de mêlée, avant de m'arrêter et de le repasser à Fragger qui l'envoyait en sens inverse, à Sam Rogers complètement démarqué.

La tactique fonctionnait à merveille. Malheureusement, je n'ai pas pu voir Rogers marquer le *touchdown*, car plus d'une seconde après avoir renvoyé le ballon à Fragger, Bullet s'est jeté sur moi.

C'était un plaquage irrégulier. Il le savait et moi aussi, alors même que j'étais étendu sur le sol, à tenter péniblement de reprendre ma respiration. Bullet s'est penché vers moi et m'a tendu la main.

– Désolé, mec. Je pensais que tu avais le ballon.

Je suis enfin parvenu à inspirer et je me suis relevé sans son aide.

– C'est pas grave.

Et là, je lui ai flanqué sa raclée. Un coup net en pleine mâchoire. Ses dents se sont entrechoquées et il a chancelé.

– Désolé, mec. Je croyais que c'était toi qui avais le ballon.

Et je l'ai frappé de nouveau, d'une bonne droite dans le ventre cette fois.

Après ça, les choses ont pris une mauvaise tournure. Bullet n'était pas Karlohs Furey. Il est revenu vers moi avec une rafale de coups : au visage, dans la poitrine, sur les épaules et au cou. J'ai tenté de répliquer – enfin, je crois –, mais mes nouvelles frappes n'ont pas causé beaucoup de dégâts. Si les autres ne nous avaient pas séparés, je pense qu'il m'aurait tué.

Le plus curieux, c'est que jusque-là, Bullet et moi nous entendions plutôt bien. Je n'ai jamais compris ce qui avait pu lui passer par la tête.

Martel nous a mis sur la touche pendant le reste de l'entraînement.

– On peut savoir ce qui t'a pris ? lui ai-je lancé.

– C'est-à-dire ?

– Je ne veux pas vous entendre ! a aboyé Martel.

Une heure plus tard, un Bleu est arrivé et nous a ordonné de le suivre. Bullet m'a lancé un regard accusateur, comme si ce qui allait se passer était entièrement ma faute. J'ai fait de même.

Nous avons suivi le garde à travers les bâtiments A, B et C.

– Où est-ce qu'on va ? lui ai-je demandé.

Je n'avais jamais vu cette partie de l'usine.

Il n'a pas répondu. Dans la partie nord-ouest du bâtiment, nous avons pris un ascenseur. Le Bleu l'a appelé en apposant sa main sur la porte.

– Allez-y, les gars. Il vous attend.

Nous sommes montés. J'étais certain que le Bleu nous suivrait, mais les portes se sont refermées sur lui et j'ai senti la cabine s'élever sous mes pieds.

– C'est ta faute, a dit Bullet.

– Ma faute ? (Le sang affluait dans mes joues.) C'est *toi* qui m'as plaqué !

– Tu t'attendais à quoi ? Je pensais que tu avais le ballon.

– C'est ça.

J'ai respiré un grand coup.

Il fallait que j'évite une nouvelle bagarre. Mais il mentait : il savait parfaitement que je n'avais plus le ballon.

– Où est-ce qu'on va ?

– T'es débile ou quoi ? Où tu crois qu'on va ?

Je bouillonnais.

– C'est toi qui me traites de débile ? C'est le comble.

– Fais gaffe, le nouveau.

Bullet me jetait un regard noir, censé me faire peur, mais je commençais à perdre mon calme : loin de reculer, je l'ai poussé. Légèrement.

– Fais gaffe toi aussi.

Lorsque les portes de l'ascenseur se sont ouvertes, quelques secondes plus tard, nous sommes tombés la tête la première, en une masse informe de poings et de pieds battant en tous sens. Nous nous sommes heurtés à deux troncs d'arbres – les jambes de Martel. Il a plongé une main vers moi, m'a saisi par le maillot et m'a plaqué contre le mur.

Même chose pour Bullet. Martel l'avait relevé de son autre main. Nous étions épinglés au mur et Martel tenait le col de nos T-shirts dans ses poings serrés. Mes pieds ne touchaient plus le sol, ma trachée était sur le point d'exploser et je ne voyais plus que le visage cramoisi de Martel. Ses lèvres blêmissantes. Ses yeux venimeux, translucides, comme deux pierres bleues polies.

La gorge broyée, je n'arrivais plus à respirer. Le halètement plaintif de Bullet me parvenait à l'oreille gauche, mais le fait que nous soyons tous deux dans le même pétrin ne rendait pas les choses plus faciles. Ma vue se brouillait, bordée de taches noires.

– Vous êtes calmés ?

J'ai dû faire un signe de tête.

Il nous a lâchés. Même à quelques centimètres du sol, mes jambes n'étaient pas prêtes : j'ai trébuché avant de tomber à genoux. Bullet, une main sur sa gorge, avait réussi à rester debout. Martel s'est retourné et a traversé la pièce pour s'installer à son large bureau en acier. Lentement, je suis parvenu à me relever. Enfin, j'ai pu regarder autour de moi.

Nous nous trouvions dans une grande pièce, d'une cinquantaine de mètres carrés. À ma gauche, une large baie vitrée offrait une vue imprenable sur plusieurs hectares de toundra désertique. À l'horizon, on apercevait la courbe du pôle. De l'autre côté, derrière Martel, se trouvaient des étagères recouvertes de livres, de trophées et autres objets de collection dédiés au football. Entre les rayonnages, on voyait sur les murs des cadres contenant des clichés, des couvertures de magazines, des plaques commémoratives, des affiches et des coupures de presse jaunissantes.

Je me suis d'abord retourné vers Bullet, puis de nouveau vers Martel.

– Venez par ici.

Nous nous sommes approchés. Derrière l'épaule droite de Martel se trouvait une photo représentant un footballeur avec un maillot et un casque doré, en plein saut pour attraper une passe au vol, au-dessus d'un essaim d'adversaires vêtus de mauve. Il arborait le numéro 99. Derrière son épaule gauche, un maillot portant le même numéro était exposé sous une vitre de verre.

– Avant que je vous dise ce que j'ai à vous dire, il y a quatre choses que je veux que vous compreniez. Un, lorsque je vous dis que je vais faire quelque chose, je le fais. Deux, je ne fais jamais d'erreur. Trois, je ne reviens jamais sur mes promesses, et quatre, je ne change jamais d'avis. C'est vu ?

Nous avons fait un signe de tête.

– Bien. Je ne veux plus de bagarre. Vous garderez votre agressivité pour le jeu. Vous m'avez compris ?

J'ai ouvert la bouche pour répliquer, mais Martel m'en a empêché.

– Tu me réponds par : « Oui, monsieur. »

– Oui, monsieur.

– Je me fiche de savoir qui a commencé, et pour quelles raisons. Si vous recommencez, je vous réexpédie tout droit chez les Petits Papiers, et vous n'avalerez plus que de la pizza jusqu'à la fin de votre détention. Fin de l'histoire. Il n'y aura ni excuses, ni exceptions. Vous allez apprendre à vous maîtriser. Compris ?

– Oui, monsieur, avons-nous répondu en chœur.

– Bien. Maintenant, fichez le camp de mon bureau.

Alors que l'ascenseur entamait sa descente, Bullet m'a demandé :

– Tu crois qu'il y a une caméra dissimulée dans un coin ?

J'ai jeté un œil à la cabine.

– Non. Pourquoi ?

Il a envoyé le poing dans mon épaule.

Une montée de colère familière m'a alors submergé. Bullet me regardait, les paupières mi-closes, la bouche fermée, dure. Son expression était neutre et détendue. Il semblait me dire : *Vas-y, fais ce que tu veux. Réponds ou laisse couler, ça m'est égal. C'est à toi de décider.*

J'ai serré mon poing droit et senti la pression monter en moi, mais, sans savoir comment, je suis parvenu à la contrôler.

Les portes de l'ascenseur se sont ouvertes avec un sinistre grincement. Deux Bleus nous attendaient pour nous escorter jusqu'à nos cellules respectives.

– J'ai vraiment cru que tu avais le ballon, a dit Bullet.

27

Rhino me prenait pour un dingue.

– Ça fait partie du jeu, a-t-il insisté, allongé sur son lit. Il pensait que tu avais la balle. Et même si ce n'était pas le cas, qu'est-ce que ça change ? Ça reste un plaquage. Peu importe si tu as le ballon ou non. Il faut que tu apprennes à t'écarter au bon moment.

– Peut-être, mais j'ai bien peur que la prochaine fois que quelqu'un me rentre dedans sans raison valable, je retourne manger de la pizza.

– Pourquoi ça ?

– L'histoire se répète, ai-je répondu en fixant le plafond blafard. Je manque de sang-froid. C'est de famille.

Un grand coup sur les fesses m'a envoyé voler au-dessus de mon lit.

– Hé ! (J'ai penché la tête, en me frottant le postérieur.) Pourquoi tu as fait ça ?

Rhino a donné un nouveau coup de pied dans mon matelas et cette fois-ci, j'ai fait un vol plané au-dessus du lit avant d'atterrir lourdement à quatre pattes sur le sol en béton.

– Rien de cassé ?

Je me suis relevé. Outre une douleur cuisante dans la fesse gauche et aux deux genoux, tout semblait fonctionner correctement.

– Qu'est-ce que tu comptes faire maintenant ?

Je ressentais davantage de stupéfaction que de colère, mais je la sentais monter. Déjà, une curieuse chaleur envahissait ma nuque.

– Tu vas me frapper ?

Je scrutais son visage, gras, falot, inexpressif, et son corps énorme et puissant. J'ai jeté un œil à la cellule. Il était facile de le frapper, mais ensuite ? Nulle part où se réfugier. Quelque chose en moi a semblé se calmer, se durcir puis s'effriter.

– Non.

– Et pourquoi ?

– Parce que tu pourrais bien me tuer.

– Eh ben voilà. Si tu en as besoin, tu en as.

– De quoi tu parles ?

– Du sang-froid.

– Envoi !

Lugger a passé la balle entre ses jambes vers l'arrière à Fragger, et s'est précipité en avant pour bloquer Rhino. Comme d'habitude, Rhino l'a envoyé sur le côté sans effort. Fragger a reculé, cherchant un receveur libre alors qu'une locomotive nommée Rhino arrivait droit sur lui.

J'avais dépassé Rogers et Ananas. Démarqué et dégagé, j'ai foncé vers l'autre extrémité du terrain, le long du grillage. Une seconde avant d'être percuté de plein fouet par Rhino, Fragger a lancé le ballon qui a suivi l'arc parfait d'une trajectoire haute. C'était une longue passe. Libérant une soudaine accélération, j'ai tendu les bras, dans l'espoir qu'ils s'allongent brusquement. La balle a effleuré le bout de mes doigts et d'un seul coup, comme par magie, je le tenais dans la main.

Il n'y a rien de comparable au sentiment d'avoir fait une belle réception.

Il n'y a pas non plus grand-chose de comparable à la sensation d'être percuté par un Mordoré de 110 kilos nommé Bullet. Sorti de nulle part, il m'a propulsé contre le grillage. Moins d'un dixième de seconde après cette glorieuse réception, le ballon m'a échappé avant de partir en chandelle.

Une seconde de flottement, durant laquelle j'ai regardé vers le ciel, et tenté de comprendre exactement quelle partie de mon jeu j'avais planté.

J'ai entendu la voix de Bullet :

– Tout va bien ?

– Je crois, oui.

Je me suis assis.

– Joli coup.

– LES CLOUS !

Martel se dirigeait vers nous. Il était rouge de colère et ses yeux semblaient sortir de leurs orbites.

– À quoi vous jouez, Bon Dieu ?

Je me suis relevé, encore légèrement dans les vapes. Le soir même, le motif du grillage serait probablement imprimé en bleu violacé sur mes côtes.

– Désolé, monsieur.

Le reste des Mordorés s'est rapproché de nous.

– C'est quoi, ÇA, d'après toi ? a rugi Martel en pointant son index.

Au début, je n'ai pas compris ce qu'il me montrait. Quelque chose, de l'autre côté du grillage ? Puis je l'ai vu. Le ballon qui m'avait échappé était passé par-dessus.

– Oh-oh, a dit Bullet. On a une balle à ours.

Martel a enfoncé son index dans ma poitrine.

– Qu'est-ce que tu fais quand tu rattrapes le ballon ?

– Je, heu… je ne le lâche pas ?

– Tu contrôles la balle, le clou. Maintenant, va la chercher.

– D'accord, d'accord, j'y vais.

J'ai agrippé le grillage métallique glacé et je me suis mis à grimper, mais en apercevant quelque chose derrière la barrière, j'ai arrêté net mon ascension. Un ours polaire, situé à une centaine de mètres, se rapprochait.

– Tu ferais mieux de te dépêcher, le clou.

Il ne semblait pas plaisanter.

– Mais… il y a un ours en bas !

– Bon sang, le clou, tu bouges ton cul et tu me ramènes ce ballon ou je te jure que tu passeras le reste du mois à nettoyer les toilettes avec ta langue.

J'ai regardé l'ours. Il avait pris de la vitesse et arrivait droit sur la balle.

– VAS-Y ! a beuglé Martel.

Et j'y suis allé. Il ne m'a fallu que quelques secondes pour escalader et enjamber la grille. Le ballon avait atterri à cinq ou six mètres du grillage. Lorsque l'ours m'a vu, il s'est mis à courir. Aussi vite que possible, j'ai ramassé le ballon. L'ours avait déjà parcouru la moitié de la distance qui nous séparait et prenait encore de la vitesse. J'ai renvoyé le ballon de l'autre côté de la barrière et, l'espace de deux secondes, je suis resté planté là, comme un imbécile. Je m'étais imaginé qu'une fois que j'aurais lâché la balle, l'ours me ficherait la paix.

J'avais tort. L'ours n'était pas un footballeur en quête de gloire, mais un carnivore affamé en quête de viande. Ce n'était pas la balle qu'il voulait, c'était moi.

J'avais le temps d'atteindre le grillage avant qu'il ne me rattrape, mais pas suffisamment pour grimper et repasser de l'autre côté. L'ours pourrait m'arracher à la barrière aussi facilement qu'on décolle une tranche de chorizo sur la garniture d'une pizza. Plan B : prendre mes jambes à mon cou. J'ai longé la grille avec mon ours aux fesses, mais cette fois-ci, la situation n'avait rien de métaphorique. J'ai foncé sans fléchir sur la longueur d'une moitié de terrain. Jamais je n'avais couru aussi vite.

Mais lorsque j'ai jeté un regard par-dessus mon épaule, l'ours était là. Derrière moi. C'est-à-dire à une dizaine de mètres. Il gagnait toujours du terrain, montrant joyeusement les dents, sa langue sombre pendant de sa gueule ouverte.

Si vous vous trouvez un jour dans une région d'ours polaires, ne faites pas l'erreur de penser qu'ils ne sont pas rapides. Ils peuvent atteindre une vitesse d'environ 50 km/h, soit deux fois celle d'un humain. Leur seul handicap, c'est qu'une fois leurs 700 kilos de muscles, d'os et de graisse en marche, il devient très difficile pour eux de changer brutalement de direction.

J'ai viré brusquement sur la gauche.

L'ours a ralenti. Ses énormes pattes ont laissé des traces sur la toundra alors qu'il tentait laborieusement de dévier sa trajectoire. Lorsqu'il a enfin réussi à obliquer, j'étais reparti en sens inverse, creusant l'écart d'une quarantaine de mètres. Serait-ce suffisant ? Combien de temps allait-il me falloir pour escalader le grillage ? Je tablais sur cinq secondes.

Le minutage risquait d'être serré, mais je n'avais pas d'autre idée. L'ours revenait déjà sur moi. J'ai feinté un virage sur la droite, à l'opposé de la clôture avant de prendre brutalement sur la gauche et de sauter le plus haut possible. J'ai atteint la grille à environ la moitié de sa hauteur et j'ai continué à grimper sans m'arrêter, en enfonçant mes orteils dans les espaces du grillage et en me hissant toujours plus haut, à l'abri du danger. J'avais passé une jambe par-dessus la barrière lorsque l'ours m'a rattrapé. J'ai senti quelque chose tirer violemment sur mon pied droit. Dans un mouvement désespéré, j'ai basculé vers l'avant et je me suis laissé tomber de l'autre côté de la clôture.

En revenant à moi, j'ai aperçu un morceau de ciel encadré par une frise de visages : une vision qui devenait bien trop familière à mon goût.

– Ça va, rien de cassé ?

– Combien j'ai de pieds ?

– Trois.

– Super. Est-ce que je saigne ?

– Très légèrement.

– LES CLOUS !

La voix de Martel a fendu l'attroupement de Mordorés. Il s'est penché vers moi.

– Remue les jambes, mon garçon.

J'ai essayé. Elles semblaient fonctionner toutes les deux.

– On peut dire que ça, c'était une belle course.

– Merci.

– La prochaine fois, essaie de ne pas perdre de chaussure.

– Vous voulez que j'aille la chercher, monsieur ?

– Trop tard.

– Désolé, monsieur.

– Une belle course, Marsten.

À cet instant, une énorme vague de fierté et de satisfaction m'a submergé, mêlée au soulagement d'être toujours en vie. En même temps, j'étais complètement paniqué.

Cette nuit-là, Rhino et moi avons beaucoup discuté.

– Tu sais ce qui me fiche vraiment la trouille ?

– Oui. D'avoir un ours à tes trousses.

– Oui, ça aussi. Mais c'est Martel qui m'effraie le plus. Au début, je pensais qu'il aboyait plus qu'il ne mordait, mais au fond, il se moque réellement de savoir si on rentrera vivants chez nous.

28

Je dégustais mon Fridélice poulet® tout en écoutant Gorp raconter l'histoire d'un type qui avait perdu une course contre un ours.

– Les boyaux se sont éparpillés partout. Ça a pué pendant des semaines.

– Tu l'as vu ?

– Non, c'était avant que j'arrive. Mais j'en ai entendu parler.

– Qui t'a dit ça ?

– Un des Bleus.

Même si cela semblait difficile à croire, je n'avais aucun mal à l'imaginer. J'ai détourné les yeux et j'ai alors aperçu Pâthos, qui me dévisageait. Une brusque nostalgie s'est emparée de moi. Je n'avais pas pensé à l'équipe Chorizo depuis des semaines. J'ai traversé le réfectoire et me suis approché de la table où Pâthos, Globule et quelques autres Petits Papiers étaient assis.

– Salut Pâthos, salut Globule.

– Bonjour Bo, a répondu Pâthos en me jetant un regard prudent. Ça va comme tu veux ?

– Pas mal.

Un fossé semblait désormais nous séparer et j'essayais de trouver un sujet de conversation qui le fasse disparaître.

– Martel nous fait beaucoup bosser.

– Ben voyons, a murmuré Globule. On va pleurer. Huit heures par jour, c'est crevant, c'est sûr…

– On a l'entraînement aussi, ai-je répondu, un peu agacé par son attitude.

– Ça doit être dur, a-t-il marmonné en mordant dans une part de Suprême saucisse-champignons.

– Oui, ça l'est.

J'ai vu Pâthos, qui m'observait toujours comme si j'étais un chien enragé, l'écume aux lèvres.

– Hé, les gars, vous aussi, vous porteriez des T-shirts dorés si vous le pouviez.

– Si tu le dis, mec, a répondu Globule.

J'ai tendu ce qui restait de mon Fridélice à Pâthos.

– Tu veux le finir, Pat'?

– Non, merci.

Il m'a regardé droit dans les yeux.

– Je me suis habitué à la pizza.

J'ai haussé les épaules et tourné les talons. Rien n'était plus comme avant. Si les Petits Papiers étaient jaloux, c'était leur problème. Je suis retourné m'asseoir à la table des Mordorés où j'ai terminé mon Fridélice.

Outre les phases de jeu, les coups, et les courses avec les ours, nos entraînements impliquaient aussi d'autres aspects. Chaque soir, Martel débitait d'interminables sermons sur l'histoire du football et les vieux joueurs célèbres. Si on avait de la chance, il nous montrait des films. Autrement, il se contentait de parler debout pendant des heures et, si l'un d'entre nous avait le malheur de s'endormir, Martel se chargeait de le réveiller avec un ballon en pleine figure.

Nous étions aussi formés aux grandes tactiques de jeu. Nous avons appris à lire les curieux petits dessins de Martel, à déchiffrer les cercles, les triangles et les lignes en pointillés. Le football ne se résume pas à passer la balle d'un bout à l'autre du terrain, tout en infligeant un maximum de dégâts à l'équipe adverse en chemin. Même si, à dire vrai, c'est ça qui constitue 90 % des manœuvres.

Trois jours par semaine, il nous divisait en deux groupes de neuf, dix ou onze (en fonction du nombre de joueurs qui séjournaient à l'infirmerie) et nous entamions une partie d'une heure entière, sans temps mort et sans arrêt de jeu.

En dépit du risque de blessures graves, de mutilations, voire de mort, nous n'existions plus que pour ces matchs. Foncer comme un désespéré, sans équipement, une horde de Mordorés à ses trousses était un vecteur d'adrénaline tout aussi stimulant que de frapper Karlohs Furey, ou d'être poursuivi par un ours. Mais j'avais appris une chose : lorsque l'ours est réel, on court beaucoup plus vite.

Un soir, en discutant avec Rhino, je me plaignais de mon maillot doré, qui devenait trop petit.

– Il est trop serré au niveau de la poitrine et des épaules. Chaque fois que je le récupère après la lessive, il a encore rétréci.

– C'est pas le lavage. C'est toi.

– Comment ça ?

– Tu prends du muscle.

– Tu crois ?

J'ai observé mon reflet dans la minuscule glace au-dessus du lavabo et replié le bras. Il me paraissait effectivement un peu plus gros. Le temps passé dans la salle de musculation portait enfin ses fruits.

– Moi, c'est l'inverse. J'ai perdu 15 kilos.

– Tu rigoles ?

Je venais de le voir engloutir six Fridélice et vider quatre canettes de Pepsi au cours du dîner.

– Ça doit être à force de courir.

– Ça, pour courir, on court.

Martel nous obligeait à faire des tours de terrain. Il avait commencé par douze tours et, chaque jour, il en rajoutait un supplémentaire. Ça ne me posait pas de problème : j'adorais courir. Rhino, en revanche, subissait une véritable torture. Le voir lutter pour avancer sur le terrain faisait mal au cœur. Son visage passait du rouge au violacé, et de temps à autre, il lui fallait s'arrêter et reprendre son souffle pendant quelques minutes avant de pouvoir repartir. Une fois, il a tourné de l'œil et s'est complètement effondré. Martel l'a réanimé avec des sels et obligé à terminer les tours restants.

– Tu pèses combien maintenant ? lui ai-je demandé, en grimpant sur mon lit.

– Cent soixante-six.

– Attention aux coups de vent. Tu risquerais de t'envoler.

– Si j'arrive à 90, je me tire d'ici.

– T'y es presque. Tout ce qu'il te reste à faire, c'est de supprimer les Fridélice.

– Compte là-dessus.

Nous avons éclaté de rire et Rhino a laissé échapper un pet explosif parfumé au Fridélice. J'ai caché mon visage sous la mince couverture en attendant que le gaz nocif se dissipe.

La nuit, je dormais à poings fermés. J'étais trop fatigué pour réfléchir ou même pour rêver. Et s'il m'arrivait de penser à quelque chose, c'était au football. Maddy, Karlohs, mes parents, Grand-Père, Bork et le reste de mon existence passée semblaient sortir d'un rêve confus. Désormais, mon monde se résumait aux pizzas, au football et aux ours polaires. Rien d'autre ne paraissait réel.

Certaines nuits, je m'interrogeais quant à la raison d'être d'une telle équipe. Y en avait-il une dans chaque usine ou bien Martel était-il simplement un cas isolé de cinglé psychotique, un fana de sports réchappé du millénaire dernier ?

Les Mordorés ne savaient pas non plus. Selon Gorp, qui s'était pratiquement remis de sa clavicule cassée, Martel avait fondé l'équipe quelques mois auparavant. Gorp était l'un des tout premiers membres.

– Martel était un joueur professionnel dans les années 2030, a-t-il expliqué. Il occupait le poste de *fullback* pour l'équipe des Forty-Niners d'Omaha. Il a perdu son job lorsque le sport a été interdit aux UESA. Après ça, il a intégré un club au Paraguay et pour la Ligue internationale.

– Et pourquoi est-ce qu'il nous fait jouer, alors ? C'est sa façon de revivre ses heures de gloire ?

– Aucune idée, a dit Gorp. Du moment qu'on me donne autre chose que de la pizza, ça m'est complètement égal.

Fragger avait une théorie différente.

– Il n'a rien d'autre à faire ici. La ville la plus proche, c'est Churchill, à quarante kilomètres. Et à part quelques bars, une piste d'atterrissage et une meute d'ours polaires, il n'y a rien là-bas non plus. Il nous regarde nous mettre en pièces et ça l'amuse.

Mais je me demandais si tout cela ne cachait pas autre chose. On nous entraînait à nous démolir, c'est vrai. Mais j'avais comme l'impression qu'on nous préparait à démolir quelqu'un d'autre.

29

Quelques semaines après ma rencontre avec l'ours, j'ai eu les réponses à mes questions.

C'était une journée maussade et humide. Une légère brume descendait d'un ciel chargé et bas. Martel nous a réunis sur la ligne de milieu de terrain. Il nous a ensuite montré un maillot rouge.

– Est-ce que quelqu'un sait ce que c'est ?

– C'est un T-shirt, monsieur, a répondu Gorp.

– Perdu, a dit Martel. C'est un T-shirt rouge. Qu'est-ce que vous faites lorsque vous voyez un T-shirt rouge ?

Apparemment, personne n'avait la réponse.

Martel a déchiré le maillot en deux et l'a jeté par terre.

– Vous le détruisez, a-t-il crié en écrasant le tissu avec le talon de sa chaussure. Dans un mois, vous serez mis à l'épreuve. Vous représenterez le 3-8-7 au premier tournoi annuel de la Toundra. Vous serez opposés aux Écarlates de Coca, et vous allez les détruire. Des questions ?

Après quelques secondes de stupeur, Lugger a levé la main.

– Monsieur… est-ce qu'ils sont bons ?

– Ils sont immenses, affreux, méchants. Voilà six mois qu'ils s'entraînent et vous allez les détruire.

– Est-ce qu'ils vont venir ici ? a demandé Fragger.

– Non, on se rendra en bus jusqu'à leur usine, le matin de la rencontre, et vous allez les détruire.

Tout le monde s'est tu, le temps de réfléchir quelques secondes. J'ai tenté de l'en empêcher, mais mon bras s'est levé, comme de sa propre initiative. Martel m'a désigné du doigt.

– Qu'est-ce qui se passe si on gagne ?

– Vous allez gagner. Il n'est pas question de perdre.

J'ai insisté.

– Mais qu'est-ce qu'on y gagne, nous ? Ça nous rapportera quoi ?

Le visage de Martel s'est assombri. Il a inspiré profondément, sans ouvrir la bouche, qui semblait se durcir, puis il a fini par sourire, découvrant deux rangées de petites dents parfaitement alignées.

– Il te reste combien de temps à tirer, le clou ?

– Trente-quatre mois.

– Ça te plairait de sortir plus tôt ?

J'ai hoché la tête.

– Très bien. Lorsque vous aurez remporté le match, j'enverrai des recommandations pour une remise de peine. Pour vous tous.

– Quel genre de remise de peine ? a dit Lugger.

– On verra.

– Et moi ? est intervenu Rhino.

– Eh bien quoi ?

– Moi, je suis libéré en fonction des kilos que je perds, pas de la durée de détention.

Martel a réfléchi.

– Alors pour toi : la liposuccion.

Nous étions tous abasourdis. La liposuccion était illégale depuis vingt ans.

– Génial, a répondu Rhino sans même prendre le temps d'y penser.

– Et si on perd ? ai-je coupé.

– Vous ne perdrez pas. Si vous perdez, vous irez faire du footing avec les ours.

Après cela, les entraînements ont pris une tout autre tournure. La musculation, la course, la tactique et les mêlées avaient désormais un sens pour nous. Même Lugger, le plus flemmard de tous, se surpassait.

Très curieusement, jouer au football ressemblait de plus en plus à la fabrication des pizzas : c'était un travail d'équipe. Nous étions les maillons d'une chaîne qui nous dépassait tous et si l'un d'entre nous n'effectuait pas sa tâche correctement, l'effort collectif en était anéanti.

Les phases de jeu occupaient la plus grande partie de l'entraînement. Martel nous forçait à mémoriser une vingtaine de tactiques. Il leur donnait des noms bizarres comme le « Sursaut de la puce » ou la « Boîte des neuf » et il nous les faisait répéter afin que l'on puisse les exécuter sans même y penser.

Les trois stratégies qui semblaient les plus efficaces étaient en fait les plus simples. Le « W de côté » se résumait à courir comme un fou avant d'attraper la balle. La tactique exigeait un receveur extrêmement rapide (moi), un solide mur de bloqueurs (Rhino, Gorp et Nuke) et un *quarterback* au lancer très assuré (Fragger). Dès que le ballon passait en arrière au *quarterback*, je devais remonter en zigzaguant le long du terrain pour finalement revenir sur la droite, compter jusqu'à quatre et me retourner pour réceptionner la balle. Fragger était doué, il ne manquait presque jamais la passe.

Le « Nez piqué » était notre tactique la plus simple, et la plus dévastatrice. Il s'agissait simplement de passer à Rhino et de le laisser courir. Il fallait un minimum de cinq types pour le stopper, on était donc sûrs de gagner du terrain à chaque fois.

En combinant ces deux techniques, on obtenait quelque chose qu'on appelait l'« Ananas Split ». Je fonçais vers le fond du terrain toujours en zigzaguant, et Fragger feintait une passe à Rhino, avant de l'envoyer latéralement à Ananas, qui occupait le poste de *running back*. Ananas réussissait généralement à prendre quelques mètres avant que l'équipe opposée ne se rende compte de la manœuvre. Du moins, c'était la théorie. La pratique fonctionnait aussi, mais nous n'en avions jamais fait l'expérience durant un vrai match contre de vrais adversaires.

Parmi nos autres tactiques, on trouvait le « Double revers », la « Statue de la Liberté » et le « Je vous salue Marie ». Aucune ne semblait donner de résultats, selon moi, mais Martel tenait à ce qu'on les apprenne quand même. Il nous expliquait que certaines de ces tactiques étaient si vieilles que personne ne les avait employées depuis plus de cinquante ans.

– Je sais pourquoi Martel est obsédé par l'idée de gagner ce match, a dit Rhino.

Je me suis penché par-dessus la rambarde de mon lit et je l'ai regardé.

– Pourquoi ?

– J'ai discuté avec Henry. Tu vois qui c'est ?

– Henry le gardien ?

– Ouais.

Henry n'était pas tout à fait aussi large que Rhino, mais il n'en était pas loin.

– Henry m'a raconté que Martel avait misé un paquet d'argent sur cette partie. Genre deux millions de V-dollars.

– Il fait des paris ? C'est pas illégal, ça ?

Rhino a éclaté de rire.

– Tout est illégal ! Les paris, le football, la liposuccion : il n'y a aucune différence. Il fait ce qu'il veut.

– Tu vas vraiment accepter la liposuccion ?

– Tu plaisantes ? Je leur laisserais bien me couper la tête si ça me faisait sortir plus vite.

De tous les Mordorés, Fragger était l'athlète le plus accompli. Ses passes étaient assurées, son coup de pied précis, il était très rapide et il recevait parfaitement. L'une de nos tactiques de rechange était la « Fuite du *quarterback* ». La manœuvre était simple. Lugger, au centre, passait la balle en arrière à Fragger, qui partait en courant. Pas de longue passe, pas d'échange, pas même une feinte : rien que l'envoi et la course.

L'action se soldait généralement par une avancée de plusieurs mètres sur le terrain. Mais Martel n'aimait pas ça.

– Risquer une blessure du *quarterback*, c'est une mauvaise idée.

C'était la première fois que je l'entendais se soucier que l'un de ses joueurs soit blessé.

Fragger était doué, mais il était aussi complètement cinglé. Il fallait qu'il casse son quota de Petits Papiers dans la journée. Par chance, il se faisait une règle de ne pas toucher aux T-shirts dorés. Les Petits Papiers étaient donc les seuls à déguster : chaque jour, au moins l'un d'entre eux se faisait humilier devant tout le monde. Coups de pied, de coude ou de poing, croc-en-jambe ou arrosage public : tout était bon. Pour Fragger, c'était une façon comme une autre de se consoler.

Les Bleus fermaient les yeux sur ses petites incartades. Je suis certain qu'ils y prenaient autant de plaisir que Fragger lui-même. Jusqu'à l'arrivée d'un type nommé Monk, environ deux semaines avant le fameux match.

Monk était un gamin maigrichon et boudeur, aux cheveux bruns et raides et aux yeux globuleux, qui – je l'ai appris plus tard – avait écopé d'une peine de prison pour avoir fait pousser du tabac et l'avoir revendu à ses camarades de classe. S'il avait eu deux ans de plus, il en aurait sans doute pris pour vingt ans, mais en tant que mineur, on ne l'a condamné qu'à trente mois. Monk n'était pas au 3-8-7 depuis vingt-quatre heures lorsque

Fragger a remarqué son front exceptionnellement large et décidé qu'il aurait meilleure mine si on y collait un papier d'emballage de Fridélice. Le petit nouveau, qui ne connaissait pas encore les règles internes, ne s'est pas laissé faire et, quand Fragger a tenté de transformer sa tête en panneau d'affichage, Monk lui a envoyé une droite dans la gorge.

Monk n'était pas un gros gabarit, mais son coup de poing était précis. Fragger s'est effondré comme un sac de farine à pizza. L'incident a vite attiré l'attention des Bleus, qui ont plaqué Monk contre le mur, et transporté Fragger à l'infirmerie.

Il n'avait finalement rien de cassé, mais Martel, lors d'une visite à l'infirmerie, a donné de nouvelles instructions.

– Laisse les Petits Papiers tranquilles, Fragger. Un de ces jours, tu prendras bien plus qu'un coup de poing sur la pomme d'Adam. Et j'ai besoin de toi en un seul morceau.

Après ça, il s'est tenu à carreau. Même si pour lui, ça relevait de l'exploit.

30

L'un des avantages à faire partie des Mordorés, c'était d'avoir un WindO dans notre vestiaire. Je pouvais envoyer des nouvelles chez moi environ deux fois par semaine. Il s'agissait d'un simple terminal à clavier, sans micro ni haut-parleurs. Il nous était évidemment interdit de parler du football. Martel avait installé plusieurs logiciels de filtrage et si on tapait le mot *football*, *plaquage*, ou l'un des cinq cents autres termes ou expressions-clés prédéfinis par lui, le message était bloqué avant de lui être transféré.

Un jour, j'ai effectué une recherche *via* le WindO sur Karlohs Furey. Je voulais simplement savoir s'il faisait toujours partie de l'équipe d'athlétisme du lycée. Apparemment, il avait battu un nouveau record du 100 mètres à l'école : 13 secondes 20. J'ai éclaté de rire. J'aurais facilement pulvérisé son temps d'une bonne seconde, même en portant l'équipement de protection. J'aurais tellement souhaité pouvoir retourner là-bas, rien qu'une journée, et leur montrer à lui et à Maddy ce dont j'étais capable. Alors que je m'imaginais la scène, l'écran du WindO s'est obscurci. Ça ne m'était jamais arrivé auparavant. Était-ce une panne de courant ? Non, les lumières étaient encore allumées. Peut-être y avait-il un problème avec le Web ? J'étais sur le point de redémarrer la machine lorsqu'un message textuel s'est affiché au centre de l'écran.

SALUT, PAUVRE CRÉTIN.

Une forme incurvée et grisâtre pointait au bas de l'écran. C'était un chapeau. Un feutre mou antique. Le chapeau défilait et lentement, sous le bord du chapeau, j'ai vu apparaître les cheveux verts puis les iris dorés d'un troll au sourire sardonique. Pendant quelques fractions de seconde, je l'ai observé, les yeux écarquillés, avant de taper ma réponse.

Bork ?

OUI. COMMENT VAS-TU ?

Ça va bien.

Comment m'avait-il retrouvé ? Comment avait-il réussi à contourner l'arsenal de filtres, de pare-feu et de bloqueurs censés empêcher les intrusions dans les sessions personnelles ? Et plus intrigant encore : pourquoi ? Le programme Bork n'était pas conçu pour prendre des initiatives. Autant imaginer votre 4 x 4 qui démarre tout seul puis vous tape sur l'épaule en vous proposant une petite balade.

JE SUIS CONTENT DE L'APPRENDRE, PAUVRE CRÉTIN.
JE PENSAIS À TOI.

Penser ? Ça ne ressemblait pas au Bork que je connaissais. Et où avait-il dégoté ce feutre mou ?

Comment es-tu arrivé jusqu'ici ?

DÉFINIS « ICI », S'IL TE PLAÎT.

Ici, sur ce WindO.

J'AI EFFECTUÉ UNE RECHERCHE SUR LE WEB AVEC DES MOTS-CLÉS RELATIFS À TON IDENTITÉ. LORSQUE J'AI REPÉRÉ UNE ACTIVITÉ, J'AI ENCLENCHÉ LES PROCÉDURES NÉCESSAIRES À L'ACCÈS AU TERMINAL QUE TU UTILISES.

J'ai comme l'impression que tout ça n'est pas légal.

LA LÉGALITÉ EST UN COMPORTEMENT D'ENTENTE FORMELLE DÉFINIE ENTRE PLUSIEURS GROUPES D'INDIVIDUS HUMAINS. JE NE SUIS PAS HUMAIN.

Et qu'est-ce que tu es ?

JE SUIS BORK.

Tu es un cyberspectre, maintenant ?

« CYBERSPECTRE » EST UN TERME HAUTEMENT PÉJORATIF.

Est-ce que tu es comparable à Sammy Q. Sécurité ?

SAMMY Q. SÉCURITÉ EST UNE ENTITÉ ABSURDE.
JE SUIS CONSCIENT.

Et si tu ne l'étais pas, pourrais-tu prétendre l'être quand même ?

NON. COMME TU ME L'AS APPRIS, SEULS LES ÊTRES CONSCIENTS SONT CAPABLES DE MENTIR.

Les yeux de Bork se sont mis à tourner.

NOUS SOMMES OBSERVÉS PAR UN ROBOT DE SURVEILLANCE.
JE DOIS PARTIR.

L'image de Bork a disparu, très vite remplacée par le logo habituel de la pomme bleue, soit l'écran de démarrage par défaut du WindO.

Une semaine avant le match fatidique, notre équipement est arrivé : casques rayés noir et or, épaulières, chaussures à crampons, maillots dorés rutilants avec des numéros imprimés en noir et pantalons renforcés par des protections. La plupart des Mordorés, moi le premier, n'étaient pas emballés.

– C'est le genre de camelote qu'on me forçait à porter pour courir, ai-je expliqué à Gorp. Ça ne sert qu'à te ralentir.

Gorp enfilait une paire d'épaulières.

– Tu dis ça parce que tu n'as pas de fracture de la clavicule. Moi, l'idée d'être un tant soit peu protégé me plaît assez.

– Les protections, ça n'est utile qu'en cas de plaquage. Et j'ai pas l'intention de me faire plaquer.

– Tant mieux pour toi. Mais mon job, à moi, c'est de bloquer et de plaquer. Sur le terrain, je donne des coups et j'en prends autant.

Il a sanglé les protections et enfilé son T-shirt pardessus.

– Et puis de toute façon, l'équipe en face en aura aussi. À ta place, je ne voudrais pas être le seul joueur sans casque.

– Mouais. C'est juste que je n'aime pas être ralenti.

J'ai regardé mon reflet dans le miroir.

– Par contre, le maillot me plaît bien.

Le mien portait le numéro 11.

– Je pense que ça ne m'ira pas, a dit Rhino.

Gorp et moi nous sommes retournés et avons éclaté de rire. Ses épaulières paraissaient dix fois trop petites pour lui – il avait à peine réussi à passer son cou dans l'encolure et son casque était posé sur le sommet de son crâne, trop étroit pour qu'il puisse l'enfiler au-delà des oreilles.

Martel, qui nous regardait nous débattre avec notre équipement, s'est approché de Rhino et a frappé du poing sur le haut du casque. Sa tête a semblé s'enfoncer dans le casque comme un bouchon dans une bouteille. Il s'est mis à hurler.

– Mes oreilles ! Vous m'avez arraché les oreilles !

– Tes oreilles n'ont rien, gamin.

Martel a jeté un regard dubitatif aux épaulières.

– En revanche, il va sans doute falloir faire quelque chose pour ces épaulières.

31

Notre premier entraînement en tenue complète était un véritable désastre. J'avais l'impression d'être de retour au lycée. Les protections m'irritaient la peau, le casque me bloquait la vue et je ne m'habituais pas aux chaussures à crampons. Les plaquages étaient certes moins douloureux, mais nous étions beaucoup moins rapides et bien moins adroits. Rhino avait dû se passer d'épaulières – Martel les avait renvoyées pour les faire ajuster – mais son casque se révélait une arme dévastatrice. Être percuté de plein fouet par Rhino était une expérience particulièrement violente. Un Rhino casqué, c'était encore pire.

Après l'entraînement, il nous a fallu deux heures pour réussir à lui retirer son casque. On a manqué de lui arracher les oreilles.

– La prochaine fois, je me beurre le crâne, a dit Rhino, qui grimaçait en touchant ses oreilles rouges et enflées.

Le reste de la semaine a passé très vite, mais pas suffisamment à mon goût. Martel nous avait exemptés de travaux et les heures de course et la musculation étaient moins intenses. Il nous voulait reposés et fin prêts pour le match. Finalement, nous sommes restés assis à attendre en essayant de ne pas perdre la tête.

Alors qu'un soir, nous nous trouvions dans les vestiaires, à guetter le signal annonçant le repas, Fragger s'est approché de Lugger.

– Frappe-moi.

Lugger a ri, visiblement mal à l'aise.

– Je ne pense pas, Frag.

– Allez, tape, j'te dis.

– Laisse tomber. Si je te frappe, tu feras la même chose.

– Non, ne t'inquiète pas. Vas-y !

Lugger a haussé les épaules et envoyé mollement, sans y croire, son poing dans le bras de Fragger.

– Plus fort.

Lugger a secoué la tête.

Fragger nous regardait tous.

– Je ne sens plus rien. Allez, que quelqu'un me frappe.

Je me serais fait un plaisir de lui coller une raclée, mais les consignes de Martel étaient strictes : il ne voulait pas Fragger sur la liste des blessés. Surtout pas quelques jours avant son précieux match à deux millions de V-dollars.

Lorsque Fragger a compris que personne ne bougerait, il s'est approché du mur et s'est tapé la tête contre les blocs de béton. Gorp et Lugger se sont précipités pour l'arrêter. Le sang ruisselait sur son visage, empreint d'une expression euphorique démente.

– C'est mieux, a-t-il dit. Beaucoup, beaucoup mieux.

Cette nuit-là, après que les autres Mordorés furent partis se coucher, je me suis assis face au WindO et j'ai pianoté un message pour Maman.

Salut Maman,

Comment vas-tu ? Moi ça va. Tout se passe bien ici. Comment va Grand-Père ? Tu as des nouvelles de Papa ?

Bon, il faut que je file.

Bisous,
Bo

Le football étant un sujet tabou, je n'avais pas grand-chose à raconter. J'ai pressé le bouton « ENVOYER ». L'écran a frémi. Un troll portant un feutre mou est alors apparu.

BONJOUR, PAUVRE CRÉTIN.

J'ai tapé ma réponse.

Arrête de m'appeler comme ça, s'il te plaît.

IL EST NÉCESSAIRE D'EMPLOYER DES PSEUDONYMES, CAR NOS CONVERSATIONS SONT SUSCEPTIBLES D'ENFREINDRE LES RÉGULATIONS DE SÉCURITÉ.

D'accord, appelle-moi « crétin » si tu veux, mais oublie le « pauvre ».

TRÈS BIEN, CRÉTIN.

Merci.

CRÉTIN, J'AI LE PLAISIR DE T'INFORMER QUE J'AI RÉEXAMINÉ TON CAS ET QUE J'Y AI NOTÉ 17 IRRÉGULARITÉS JURIDIQUES, DONT 3 VICES DE FORME, QUI POURRAIENT AVOIR UNE RÉPERCUSSION SIGNIFICATIVE SUR LA DURÉE DE TON SÉJOUR DANS LE SYSTÈME CARCÉRAL.

Je tentais vainement de comprendre le sens de sa phrase.

Explique, s'il te plaît.

LA RÉOUVERTURE DE TON DOSSIER POURRAIT MENER À UNE LIBÉRATION IMMÉDIATE.

J'ai dû le relire trois fois, pour être certain d'avoir bien saisi. Entre-temps, Bork avait poursuivi son charabia sur plus de la moitié de l'écran.

IL EST RAISONNABLE DE PENSER QUE L'AGRESSION N'AURAIT PAS DÛ NI PU AVOIR LIEU SI LE DIRECTEUR DE LA DIVISION AVAIT AGI DE MANIÈRE RESPONSABLE.

DANS LES FAITS, EN AYANT PLEINE CONNAISSANCE DE LA SURVEILLANCE JUVÉNILE, TU AS DÛ FAIRE FACE À UNE SITUATION À LAQUELLE TU NE POUVAIS PAS RÉAGIR D'UNE FAÇON SOCIALEMENT ACCEPTABLE. (JONES c. USSA, 08/04/2049 ; GUNDERSON c. MALKO 12/05/2053). CETTE THÉORIE A ÉGALEMENT ÉTÉ AVANCÉE ET RETENUE DEVANT LA COUR SUPRÊME DANS LE CAS DU TUEUR EN SÉRIE VINCENT ARRANGO, QUI FUT MIS EN PRÉSENCE DE SES VICTIMES ALORS QUE SON INCLINATION ÉTAIT CONNUE DES AUTORITÉS.
EN RÉSUMÉ : TU NE SAURAIS ÊTRE TENU POUR RESPONSABLE DE NE PAS AVOIR ÉTÉ CAPABLE DE FAIRE L'IMPOSSIBLE, ET TU NE DEVRAIS DONC PAS ÊTRE PUNI. TU N'AURAIS RIEN PU FAIRE D'AUTRE.

Si, j'aurais pu.

CETTE INFORMATION NE FERA PAS PROGRESSER TON DOSSIER. NE SOUHAITES-TU PAS ÊTRE RELÂCHÉ ?

Si. Mais je dis simplement que j'aurais pu agir différemment.

TA DÉCLARATION EST FALLACIEUSE. LES ÊTRES HUMAINS SONT GUIDÉS PAR DES FACTEURS CHIMIQUES, STRUCTURELS ET SITUATIONNELS. LE CONCEPT DE LIBRE ARBITRE EST ILLUSOIRE.

Et toi ? Possèdes-tu le libre arbitre ?

NON.

Tu penses vraiment que je pourrais sortir d'ici ?

OUI.

Qu'est-ce qu'il faut que je fasse ?

TU DOIS FAIRE APPEL À UN CONSEILLER JURIDIQUE.

Engager un avocat ? Et si je n'ai pas les moyens ?

LA COUR NE ROUVRIRA PAS LE DOSSIER.

L'écran a bougé imperceptiblement ; la pomme a remplacé l'avatar de Bork.

Bork ?

Pas de réponse. Il avait probablement détecté un scanbot. Je me suis déconnecté.
Le lendemain, le WindO du vestiaire avait disparu.

32

Le matin du match, nous nous sommes entassés dans un bus préhistorique – sans ceinture, ni même dispositif de sécurité passive – et nous nous sommes engagés sur une étroite piste d'asphalte. L'usine Coca était située à proximité d'une petite ville nommée Amery, à environ six heures de route au sud.

Au début, la perspective d'une excursion en dehors du 3-8-7 nous excitait. Tout le monde discutait et riait. Mais après plus d'une heure passée à observer les paysages désolés de la toundra, nous nous sommes tus puis enfoncés dans nos sièges pour le reste du voyage. Martel, assis à l'avant avec le chauffeur, semblait encore plus austère que d'habitude. Sans doute la perspective des enjeux financiers du match.

Je me suis remémoré ma dernière conversation avec Bork. Si ce qu'il avançait était vrai, il me suffisait d'engager un avocat pour me sortir de là. Mais comment prendre un avocat sans argent ? Le plaidoyer de Bork me posait aussi problème. Selon lui, j'étais innocent, car mon agression envers Karlohs était le résultat inéluctable de ma condition humaine. Mais si c'était réellement le cas, cela signifiait que toutes les actions humaines étaient inévitables et que personne ne pourrait jamais être tenu pour responsable de quoi que ce soit. Et si personne n'était responsable, alors qui construirait les routes, décapiterait les crevettes et préparerait les pizzas ? Et qu'est-ce qui empêcherait des personnes violentes et indisciplinées, comme moi, de nuire à la société ?

J'ai décidé que Bork n'était pas seulement un cyberspectre. C'était un cyberspectre irraisonné.

Après plusieurs heures de voyage, la toundra a enfin cédé la place à une étendue plate et marécageuse, où s'élevaient d'abord quelques mélèzes et épicéas rabougris, puis finalement, de gros bosquets d'épicéas, de sapins et de bouleaux. Je n'aurais jamais cru être un jour aussi heureux de voir des arbres. La route continuait tout droit à travers la forêt de plus en plus touffue, et je me suis endormi, rêvant d'avocats et de trolls.

Jusqu'à ce que l'odeur des Fridélice me réveille.

L'usine Coca-Cola C-82 était constituée de six bâtiments aux façades d'acier, semblables à ceux du 3-8-7. Les bâtiments s'élevaient au centre d'une immense clairière dans la forêt. Une clôture électrique d'environ six mètres de haut délimitait le complexe. Les gardes en uniforme vert qui ont ouvert la grille pour laisser passer notre bus étaient armés de fusils automatiques ; le parfum des Fridélice qu'on faisait cuire emplissait l'atmosphère.

Cinq ou six gardes armés jusqu'aux dents nous ont escortés dès notre descente du bus. Derrière eux, se tenait un homme aussi large que Rhino. Son crâne était lisse, luisant, et sa peau de la couleur des aubergines. Il souriait de toutes ses dents. Martel s'est dirigé vers lui et lui a serré la main.

– Voici donc les fameux Mordorés, a-t-il dit en nous observant de haut en bas.

Il a ensuite éclaté de rire.

– Tu veux me payer tout de suite, Mart', ou tu préfères qu'on te montre de quoi on est capables d'abord ?

Martel a secoué la tête, luttant visiblement pour garder un sourire aussi large que l'homme qui lui faisait face.

– On a parcouru tout ce chemin, Hatch... Autant faire une petite partie, non ?

– Je crois qu'on n'a pas le choix.

Il s'est de nouveau tourné vers nous.

– Vous avez faim, les gars ?

Certains ont hoché la tête.

– Vous aimez les Fridélice ?

Nouveaux hochements de tête. Hatch a fait signe aux gardes, a attrapé Martel par les épaules et les deux hommes se sont éloignés. De son bras libre, Hatch moulinait vigoureusement, déjà en grande conversation.

Les gardes nous ont emmenés à l'intérieur du bâtiment, jusqu'à une immense salle où plusieurs tables et chaises étaient alignées.

– C'est une usine de Fridélice ? ai-je alors demandé.

– Bien vu, Sherlock, m'a répondu le garde. Tu aimes ça ?

– Plutôt, oui.

– Ha ! Ici, nos gars n'en sont pas dingues, a lancé le garde en riant.

Une porte s'est ouverte à l'autre bout de la pièce, et deux détenus qui portaient des combinaisons de papier d'un bleu pâle sont entrés en poussant un chariot chargé de plateaux de Fridélice et de canettes de Coca. Nous n'avions rien avalé depuis notre départ du 3-8-7 et nous nous sommes jetés sur la nourriture comme une meute d'ours polaires affamés.

Les Petits Papiers se tenaient à l'écart et nous regardaient dévorer sans trahir la moindre expression. Après avoir englouti deux excellents Fridélice aux fruits de mer, j'ai demandé à l'un d'entre eux pourquoi il ne mangeait pas avec nous.

– Je n'en peux plus des Fridélice, répondit-il.

– Pourquoi ?

– Parce qu'on n'a que ça.

– Ah.

Je comprenais ce qu'il voulait dire. Ingurgiter tous les jours la même chose, c'était infernal.

– Et la pizza, tu aimes ça ?

– La pizza ?

Il a passé le revers de la main sur sa bouche.

– Il n'y a que les Écarlates qui en mangent.

Lorsque nous avons eu fini notre repas, quelques gardes nous ont conduits de l'autre côté, où Martel et Hatch nous attendaient devant un terrain de football. Il était en bien meilleur état que celui du 3-8-7. Le leur était entièrement recouvert d'herbe bien verte. Les lignes délimitant les portions avaient été fraîchement dessinées à la peinture blanche et à chaque extrémité du terrain se dressaient de véritables poteaux d'en-but. Le long des lignes transversales étaient disposées plusieurs rangées de gradins en aluminium. De l'autre côté s'élevait un panneau d'affichage électronique du score.

La perspective de jouer sur un terrain de professionnels nous avait-elle emballés ? Oui, durant quelques secondes. Mais nous avons vite réalisé que nous étions déjà dépassés. Notre prétendu espace d'entraînement boueux, truffé d'ornières, n'arrivait pas à la cheville de cette installation professionnelle. Et si les Écarlates étaient aussi bien organisés et préparés que leur terrain ? Contre eux, nous n'aurions plus une chance.

Martel, qui avait dû sentir notre soudaine perte de confiance, s'est avancé vers nous.

– Dites donc, les filles, qu'est-ce qui vous fait ouvrir le bec grand comme ça ? Vous vous imaginez sans doute que vous ne méritez pas de jouer dans un endroit aussi grandiose et modernisé ? Et vous avez raison. Une bande de petits morveux, fils à maman comme vous n'ont pas la moindre idée de ce que peut être un bon match bien sournois. Ces Écarlates qui cuisinent des Fridélice toute la journée sont partis pour faire de vous de la chair à saucisse et vous savez quoi ? Ça me passe littéralement au-dessus. Si vous perdez, je me ferai une joie de vous regarder un par un faire une petite balade dans la toundra. C'est compris ?

Voilà comment Martel entendait remonter le moral de ses troupes.

33

Il nous restait quelques heures avant la partie. Les gardes nous avaient parqués dans un dortoir. Je pense que personne n'avait réellement l'intention de dormir, mais nous nous sommes tous allongés sur les lits. Aucun d'entre nous n'avait grand-chose à dire. Nos esprits étaient fixés sur le match.

– Tu crois qu'il a raison ? a demandé Rhino à mi-voix.

– Quand il dit qu'on va les détruire ?

– Non. Quand il dit qu'ils vont nous botter le cul.

– Va savoir.

– À ton avis, qu'est-ce qu'il fera si on perd ?

– Il nous jettera aux ours.

J'ai éclaté de rire.

– Tu penses qu'il le ferait vraiment ?

– Nan. Il s'ennuierait si on n'était pas là pour le distraire.

En réalité, je n'avais aucune idée de ce que Martel pourrait faire. Les bras croisés derrière la tête, j'observais le plafond, constellé de mouches, en essayant de comprendre comment j'étais arrivé là. Quelques semaines plus tôt, j'étais le soupirant transi de Maddy Wilson, à tel point que j'avais cédé aux provocations de Karlohs Furey. Je prenais du Levulor pour me calmer et je portais un casque et des protections pour courir sur une piste en Adzorbium. À peine trois mois plus tard, perdu au milieu de nulle part dans une forêt du Grand Nord, je m'apprêtais à participer à un match illégal, en compagnie de détenus asociaux, violents, aussi larges que hauts. Je me demandai ce que Grand-Père aurait eu à dire là-dessus.

Quelqu'un ronflait, probablement Gorp. Rhino, sur le lit d'à côté, laissait échapper un gargouillement distinctif. Je me suis assis sur le matelas et j'ai observé le dortoir. Toute l'équipe s'était écroulée de fatigue. Rien d'étonnant, après un long voyage en bus et une overdose de Fridélice. Je me suis allongé puis j'ai fermé les yeux dans l'espoir de les rejoindre, mais mon cerveau faisait défiler des diapositives. Les ours polaires, Bork, les maillots rouges, le visage de Fragger en sang.

Je concentrai mes pensées sur Fragger, qui n'était plus le même depuis qu'il s'était ouvert le crâne contre ce mur de béton. Il était devenu anormalement calme, presque doux. Durant les quelques séances d'entraînement qui avaient suivi, il avait plutôt bien joué. Ses passes étaient toujours rapides et précises, mais quelque chose avait disparu, comme si le diable en lui s'était endormi.

Avait-on une chance contre les Écarlates ? Je savais que si je pouvais récupérer la balle, je réussirais à courir jusqu'au fond du terrain. Mais je n'étais sûr de rien d'autre. Je me suis redressé avant de me lever et de jeter un œil à la pièce, jonchée de Mordorés qui ronflaient. Ce qui devait arriver arriverait, voilà tout. Je me suis dirigé vers la porte et j'ai tourné la poignée.

À ma grande surprise, elle s'est ouverte. J'ai erré dans tout l'étage, sans but précis, à essayer d'ouvrir des portes de part et d'autre, toutes verrouillées. Au bout du couloir, une large porte donnait sur un réfectoire encore plus immense que celui où nous avions pris notre repas deux heures plus tôt. J'entendais des voix et des bruits d'assiettes provenant de la pièce adjacente, probablement les cuisines. L'odeur des Fridélice semblait omniprésente, mais il n'y avait rien sur les tables. Un WindO était installé sur le mur, au fond de la salle. En dessous, un clavier dépassait de la cloison.

BONJOUR, BO.

Bork avait changé son feutre mou pour un haut-de-forme, trop grand pour tenir sur l'écran.

Salut Bork. Tu emploies mon véritable nom, maintenant?

LES ROBOTS DE SURVEILLANCE SONT MOINS ACTIFS SUR CE SERVEUR. EST-CE QUE MON NOUVEAU CHAPEAU TE PLAÎT?

On dirait ce vieil Ab' Lincoln.

MERCI. ET TOI TU RESSEMBLES À BILL GATES.

Non, c'est faux.

TRÈS JUSTE. JE M'ADONNE À L'ART DES CONTREVÉRITÉS DÉLIBÉRÉES. COMMENT JE M'EN SORS ?

Mal. À l'avenir, tâche de t'en tenir à la vérité.

TRÈS BIEN. POURQUOI NE TE TROUVES-TU PLUS À L'USINE MCDONALD'S NUMÉRO 387 ?

Tu es certain que nous ne sommes pas surveillés ?

OUI, BO.

Je suis ici pour jouer au football.

EXPLIQUE-TOI, S'IL TE PLAÎT.

Je lui ai tout raconté. Martel, la course avec l'ours polaire, le tournoi de la Toundra et tout le reste. Lorsque j'ai eu terminé, les iris de Bork ont tournoyé pendant plusieurs secondes.

TU T'AMUSES BIEN, BO ?

Non. Mais si on gagne le tournoi de la Toundra, on aura une réduction de peine. Si on perd, il dit qu'il nous jettera en pâture aux ours. Au fait, ce que tu m'as dit la dernière fois, au sujet de ma libération ?

TON INTERROGATION EST INCORRECTE.

Explique-toi.

LA SÉQUENCE SÉMANTIQUE EMPLOYÉE EST PONCTUÉE PAR UN POINT D'INTERROGATION. IL NE S'AGIT CEPENDANT PAS D'UNE QUESTION. D'AILLEURS, IL NE S'AGIT PAS NON PLUS D'UNE PHRASE.

Désolé. Tu m'as dit, précédemment, que je pourrais sortir d'ici si je prenais un avocat, mais je n'ai pas d'argent. Est-ce qu'il y a d'autres solutions ?

TU POURRAIS ENGAGER UN AVOCAT BÉNÉVOLE.

C'est quoi, bénévole ?

QUI TRAVAILLE GRATUITEMENT.

Comment on procède ?

TRÈS PEU D'AVOCATS SONT SUSCEPTIBLES D'ACCEPTER UN TEL ARRANGEMENT.

Cette information ne m'est pas utile.

J'EN CONVIENS.

As-tu d'autres suggestions ?

TU POURRAIS M'EMPLOYER POUR TE REPRÉSENTER. JE POSSÈDE UNE BASE DE DONNÉES COMPRENANT L'INTÉGRALITÉ DU DROIT DE l'UESA.

Mais tu es un cyberspectre.

JE SUIS UN ÊTRE CONSCIENT. SI TU PERSISTES À ME DONNER LE TITRE DE CYBERSPECTRE, JE NE SERAI PAS EN MESURE DE T'AIDER.

Désolé. Est-ce qu'une entité cybernétique consciente peut exercer la profession d'avocat ?

NON. (UESA C. CHAVEN, 08/09/2065)

Alors, ça ne marchera pas.

TU M'AS DEMANDÉ D'AUTRES SOLUTIONS. TU N'AS PAS PRÉCISÉ QU'ELLES DEVAIENT ÊTRE RÉALISABLES.

Merci beaucoup.

DE RIEN.

J'ai entendu des bruits de pas qui se rapprochaient. J'ai immédiatement pressé la touche d'arrêt du système avant de me retourner. C'était Rhino.

– Salut !

Il a bâillé, s'est étiré et a passé sa langue goulue sur ses lèvres.

– Où est-ce qu'ils planquent la bouffe ici ?

34

Ils ne nous ont rien donné avant le match. Selon Martel, ça n'aurait fait que nous ralentir. Alors qu'il nous regardait nous habiller, il a ajouté :

– Si vous gagnez, vous aurez à manger. Si vous perdez... Disons que le voyage de retour risque de vous paraître long.

Il a attrapé un ballon qui traînait et s'est mis à le lancer en l'air en le rattrapant d'une seule main.

– J'ai une mauvaise nouvelle pour vous, gamins. Cet après-midi, j'ai pu voir les Écarlates à l'œuvre, pendant leur entraînement. Vous êtes complètement dépassés. Ils sont plus gros, plus forts et plus rapides que vous.

– Sûrement pas plus gros que moi, a murmuré Rhino.

Martel n'a pas relevé.

– Leurs tactiques sont aussi huilées que des mécaniques de haute précision. Ils ont la matière brute, ils ont de l'entraînement et ils ont un plan.

– On ferait peut-être mieux de repartir au 3-8-7, ai-je proposé.

Martel m'a jeté un regard glacial.

J'ai voulu m'expliquer.

– Si on n'a aucune chance, ça ne vaut pas la peine d'essayer.

– J'ai dit que vous n'aviez aucune chance ?

– D'une manière différente, oui.

Martel a secoué la tête.

– Le clou, tu n'écoutes pas ce qu'on te dit. Ce n'est ni la taille, ni la force, ni la rapidité qui fait une équipe championne. Si c'était le cas, il n'y aurait aucun intérêt à jouer cette partie maintenant.

J'ai haussé les épaules. L'intérêt de la partie m'échappait totalement, de toute façon.

– Hatch Banning était un très bon joueur de ligne offensive. Il connaît bien le football. C'est un bon entraîneur, qui s'est constitué une équipe imposante. Mais il manque cruellement d'imagination. Il a probablement montré une douzaine de tactiques à ses gamins. Et il va les faire bouger. Vite. Lorsqu'une tactique fonctionne, il n'en change pas. Dès la fin du premier quart-temps, on aura sa feuille de route. De plus, ses Écarlates ignorent la peur. Vous allez leur apprendre la peur, et vous allez les détruire.

Rhino, comme toujours, avait du mal à enfiler son casque.

J'ai proposé mon aide :

– Tu veux un coup de main ?

– Non, merci.

Il a fini par le passer au-dessus de ses oreilles, non sans avoir contorsionné son visage en une horrible grimace.

Blottis les uns contre les autres d'un côté du terrain, complètement frigorifiés, nous attendions. Un ciel dégagé avait amené avec lui une masse d'air froid et la température avait chuté à un niveau glacial. Le soleil déclinait, projetant sur le terrain des ombres oblongues. Martel et Hatch se tenaient sur la ligne de milieu de terrain, visiblement en pleine altercation.

– Qu'est-ce qui se passe, à votre avis ? ai-je demandé.

– C'est une parade, a répondu Bullet. Ils nous veulent à moitié morts de froid.

– Eh bien, ça marche.

Martel agitait les bras. Hatch haussait les épaules. Martel a pointé son index vers la poitrine de Hatch. Hatch l'a écarté d'un revers de main. Martel, qui tenait le ballon, s'est alors éloigné de Hatch et s'est avancé vers nous. Il a passé la balle à Nuke, notre centre.

– On envoie dans une minute, a dit Martel. Qu'ils soient là ou non.

Rhino a émis un faible grognement et j'ai tourné la tête, vers l'autre extrémité du terrain. Une vague rouge déferlait de l'extérieur du bâtiment vers le terrain avec une vigueur effrayante. Ils semblaient immenses. Vraiment immenses. Nous les avons regardés, les yeux écarquillés, se mettre en place derrière leur ligne – ils étaient plus de trente – à s'encastrer parfaitement comme les dents d'un peigne d'acier, irradiant la discipline, la précision et la puissance.

35

À partir de là, les choses n'ont fait qu'empirer.

Martel voulait nous utiliser, Fragger et moi, uniquement pour l'attaque. Nous sommes donc restés spectateurs de cette première phase de jeu, sur le côté du terrain. Le receveur adverse a rattrapé le botté d'engagement de Nuke sur la ligne des 20 yards. Il a disparu derrière un rideau d'Écarlates, qui se tenaient par les coudes, tel un solide mur d'offensive en forme de V qui se rapprochait du centre du terrain en prenant toujours plus de vitesse. C'était une tactique que nous n'avions jamais apprise, ni même imaginée ; déjà, je voyais notre défense faiblir. Gorp, notre défenseur le plus rapide, a été le premier à les affronter, au point central de leur formation. Ils l'ont piétiné comme un pissenlit égaré. Lugger, Nuke et trois autres défenseurs ont également tenté un assaut frontal. Tous ont été littéralement balayés. Réalisant cela, Bullet, Jimmy, Kareem et Bubba se sont dispersés pour contourner ce mur cunéiforme et aborder le porteur de ballon par l'arrière, mais les Écarlates avançaient si rapidement que la tentative me paraissait d'ores et déjà vaine.

Le V avait passé la ligne de milieu de terrain lorsqu'il s'est retrouvé face à Rhino. J'ai retenu mon souffle. Le poids cumulé des attaquants devait dépasser la tonne et ils étaient deux fois plus rapides que Rhino.

Rhino a percuté le V juste à la droite du meneur, selon la même trajectoire qu'une boule de bowling parfaitement lancée contre un jeu de quilles. L'espace d'une glorieuse seconde, j'ai cru que la formation allait s'effondrer. Mais ils n'ont pas ralenti. Rhino a entraîné trois d'entre eux dans sa chute, mais le porteur de ballon restait confiné à l'intérieur du V, à l'abri des autres joueurs. Bullet et ceux qui avaient réussi à les contourner gagnaient du terrain, mais à peine avaient-ils passé Rhino que le delta s'est reformé, pointant vers l'arrière et protégeant ainsi leur porteur de nos défenseurs. Il avait le champ libre dans la zone d'en-but.

Il a marqué.

Gorp et Nuke étaient toujours étendus là où ils étaient tombés, près d'un Écarlate emporté par Rhino. Martel, rouge de colère, a traversé le terrain droit en direction de Hatch, qui paraissait à la fois surpris et ravi du résultat de sa tactique. Fragger et moi nous sommes alors précipités sur le terrain. Nuke avait perdu connaissance. Le visage de Gorp, habituellement couleur café, était livide. Les dents serrées, il a murmuré qu'il pensait s'être de nouveau brisé la clavicule. Les autres Mordorés, visiblement indemnes, tournaient en rond sur le terrain, jetant des regards tantôt noirs, tantôt incrédules aux Écarlates qui s'étaient regroupés sur la zone d'en-but. Ils rayonnaient et se donnaient des tapes amicales sur le dos.

Rhino aidait l'un d'eux à se relever.

– J'ai dû m'exploser une côte, a dit l'Écarlate.

Courbé en deux, il appuyait son bras sur sa poitrine.

– C'était quoi cette tactique ? a demandé Rhino.

– Le « V volant ».

Lentement, il s'est dirigé vers le banc de touche.

Martel hurlait aux oreilles de Hatch. Lui ne bougeait pas, les bras fermement croisés sur son torse massif, légèrement penché en arrière. Il semblait savourer l'instant.

J'ai aidé Gorp à rejoindre le banc. Nuke était revenu à lui et s'est assis sur le terrain, jetant des regards éperdus autour de lui. Il s'est remis maladroitement sur ses jambes et nous a suivis avec Gorp vers la touche.

– C'était quoi ça ?

– Le « V volant », ai-je répondu.

– Et ils ont marqué ?

– À ton avis ?

Le reste de notre équipe s'est rassemblé près du banc. Martel et Hatch hurlaient maintenant à l'unisson. L'espace qui les séparait était constellé de postillons.

– Tu crois que Martel est capable de lui donner une raclée ? a demandé Nuke.

– J'en sais rien. Hatch est plus petit, mais j'ai l'impression qu'on pourrait lui taper dessus toute la journée sans lui faire la moindre égratignure.

Leur dispute a encore duré quelques secondes, puis Martel s'est brusquement retourné et a traversé le terrain à grands pas pour nous rejoindre. Il nous a regardés, le visage fermé.

– Tu peux jouer ?

Gorp a secoué la tête.

– Clavicule, a-t-il marmonné.

Je suis intervenu.

– Il lui faut un méditech.

Pour Martel, il semblait déjà mort.

– Plus tard, a-t-il répondu. Pour l'instant, on a un match à gagner.

– Gagner ! s'est exclamé Bullet. Et comment ? Vous avez bien vu ce qui s'est passé !

– Ça ne se reproduira plus. Cette tactique est interdite depuis 1910. Leur *touchdown* ne compte pas.

– Peut-être, ai-je dit, mais Gorp a l'épaule déglinguée et Nuke a pris un méchant coup sur la tête.

– On a descendu un des leurs aussi.

Martel me dévisageait.

– Tu t'imagines sans doute que tout ça n'est qu'un jeu.

Là, je ne savais plus quoi répondre.

Martel a pointé son doigt vers le fond du terrain.

– Allez, les clous, on y va.

Le botté d'engagement est parti haut et loin – le ballon m'a semblé rester suspendu dans les airs pendant une éternité avant de redescendre dans le coin, à quelques mètres de la zone d'en-but. Le rattraper était bien la dernière chose raisonnable à faire, mais c'est pourtant ce que j'ai fait. Les Écarlates, entre-temps, avaient déjà parcouru la moitié du terrain.

J'ai filé, latéralement, pour me désenclaver. Bullet et Ananas avaient anticipé mon mouvement, et fonçaient déjà pour contrer la formation d'Écarlates qui se déployait. J'ai changé de cap pour remonter le terrain et me suis trouvé bloqué par un mur rouge. J'ai viré à gauche, puis à droite. Rhino m'a dépassé et a détruit la muraille défensive devant nous. J'ai glissé à travers la brèche. L'espace d'un instant, j'ai cru être passé, mais j'ai senti quelque chose m'agripper la cheville, et j'ai basculé en avant. Une seconde plus tard, un poids terriblement lourd s'est abattu sur moi, m'écrasant sur le sol, et tout est devenu noir.

Ciel bleu, cercle de visages qui tournent.

– Bo ?

C'était la voix de Rhino, mais les visages tourbillonnaient si vite que je ne parvenais pas à le repérer.

– Tu vas bien ?

J'ai fermé les yeux et les ai rouverts. Je voyais Rhino à présent. Et Fragger et Bubba.

– Je crois, oui.

Je me suis assis. La balle toujours dans les bras. Que s'était-il passé ?

– Tu t'es fait piler, a expliqué Fragger.

– Je me suis fait quoi ?

– Ils se sont tous jetés sur toi. Tu étais déjà par terre. On a eu peur qu'ils t'étouffent.

Les Écarlates se tenaient à quelques mètres de là, et levaient de temps à autre la tête vers nous.

– Quelqu'un a été blessé ?

– Rien que toi, a répondu Rhino. Martel est là-bas, en train d'agonir l'autre type.

Je me suis retourné et j'ai aperçu Martel et Hatch, de l'autre côté du terrain, qui se crêpaient de nouveau le chignon. On aurait dit une rediffusion de l'action précédente : les cris, les veines qui gonflent, les postillons qui volent. Après quelques minutes passées à hurler et gesticuler en tous sens, Martel a levé les mains en l'air et s'est dirigé vers nous, les poings serrés et les jambes raides. Il a fait un signe de tête en direction du banc et nous l'avons tous suivi, laissant le ballon sur la ligne de mêlée.

– Ils vont peut-être annuler le jeu, a suggéré Rhino.

– Ça m'étonnerait.

Tout le monde s'est rassemblé autour de Martel.

– Les clous, changement de tactique !

Il a serré puis desserré de nouveau les poings, et souri.

36

Je me suis mis à courir une seconde avant que Lugger ne fasse la passe en arrière à Fragger. J'ai passé la ligne de mêlée, viré à 90°, feinté le *cornerback* écarlate et je me suis précipité vers l'extérieur, à la moitié du terrain. Juste avant de franchir la ligne de touche, je me suis retourné et j'ai saisi le ballon au vol. La tactique, une variation de l'un de nos grands classiques, fonctionnait à merveille. J'ai effectué la progression réglementaire de dix yards avant de renvoyer le ballon.

Le jeu aurait dû s'interrompre là, mais les trois Écarlates à mes trousses en avaient décidé autrement. Le fait que l'engagement soit terminé ne semblait pas les encourager à arrêter leur course. Je ne me suis pas arrêté non plus. J'ai continué à courir, le long des lignes de touche, puis du banc des Mordorés, les Écarlates toujours dans mon sillage. Soudain, derrière moi, le bruit de corps qui s'entrechoquent, des grognements sourds, des jurons, et un cri de rage terrifiant. Je me retourne et m'immobilise. La ligne de touche qui longe notre côté n'est plus qu'une masse ondoyante dorée mêlée de rouge. Toute notre ligne défensive avait quitté le banc pour s'attaquer à mes poursuivants. Martel observait la scène, quelques mètres plus loin, les bras croisés sur la poitrine. Quelques secondes plus tard, il a crié quelque chose qui a mis fin à la mêlée.

Deux Écarlates étaient prostrés sur le sol. Un troisième s'extirpait laborieusement du carnage à quatre pattes.

Hatch a traversé le terrain en courant, aussi furieux que Martel lors de la phase de jeu précédente. Ignorant ses joueurs à terre, il a fondu sur Martel, qui lui a souri de toutes ses dents. Je suis retourné sur la ligne du milieu de terrain, j'y ai déposé le ballon puis j'ai rejoint Fragger, Rhino et le reste des attaquants. Nous attendions, derrière la ligne de mêlée, que Martel et Hatch aient fini d'en découdre.

– Bon, trois de moins, a constaté Fragger.

Deux méditechs venaient d'arriver pour porter secours aux Écarlates déchus. L'un d'eux a réussi à se remettre sur ses jambes et à tituber jusqu'à son banc. Celui qui rampait fut relevé par l'un de ses coéquipiers, qui l'a aidé à sortir du terrain. Ils ont évacué le dernier Écarlate sur une civière.

– Y en a au moins un qui peut encore jouer, a remarqué Lugger.

Rhino n'a pas répondu. Il était visiblement embarrassé par la tournure que prenaient les événements.

J'ai réagi à sa place :

– Ils ne se seraient sans doute pas gênés pour me tuer s'ils m'avaient rattrapé.

Rhino a haussé les épaules.

– Ils n'auraient pas pu, tu avais trop d'avance.

Martel et Hatch semblaient avoir épuisé leur stock de hurlements ; Martel est entré sur le terrain pour nous donner ses nouvelles consignes. Hatch a fait de même avec ses Écarlates.

– Tout ça a très bien fonctionné, les clous. Maintenant, on lance le « Nez piqué ».

Il s'est retourné vers Rhino.

– Il est temps de leur ficher la trouille, c'est compris ?

Rhino a hoché la tête. Le « Nez piqué » était notre tactique la plus simple et la plus dangereuse : la balle à Rhino et on le laisse courir.

L'équipe s'est positionnée de manière classique, en « T », Rhino placé à la droite de Lugger. Les Écarlates ont opté pour une formation défensive curieusement élargie, avec tous les joueurs le long de la ligne de mêlée.

– Et si on changeait pour une tactique de passe, plutôt qu'une course de Rhino ? ai-je proposé à Fragger.

– Moi, je suis les ordres de Martel, a-t-il répondu en secouant la tête.

Je me suis replacé en position.

J'avais un mauvais pressentiment, mais je n'ai pas eu le temps d'y réfléchir. Lugger a envoyé en arrière à Fragger, qui a instantanément déposé le ballon dans les bras de Rhino, avant de reculer au pas de course, feignant de l'avoir gardé en main. Durant quelques secondes, j'étais ravi : la défense adverse s'effeuillait comme du papier toilette. Plus aucun obstacle ne séparait Rhino de la zone d'en-but. Puis j'ai compris ce qui se passait réellement. Tous les Écarlates convergeaient vers Fragger.

Il s'est mis à courir en sens inverse, mais trop tard : les Écarlates avaient réagi plus vite. Ils l'ont finalement rattrapé sur notre ligne des 20 yards et Fragger Bruste a disparu sous une montagne couleur sang.

Nous nous sommes évidemment tous précipités à son secours – tous, sauf Rhino, qui s'apprêtait à marquer seul son *touchdown*. Subitement, nous étions devenus des machines à tuer ; je me suis vu charger vers la mêlée, dopé à l'adrénaline et à cette folie collective, mais je n'étais pas sous l'emprise d'un sentiment quelconque. Je ne ressentais ni haine ni même colère pour les Écarlates. Comme au ralenti, je me suis regardé en saisir un par la grille du casque et tirer si fort que la sangle sous son menton a lâché. Le casque m'est resté dans la main et j'ai visé la tempe. Il est tombé d'un coup. Un autre Écarlate s'est approché, j'ai esquivé son poing et l'ai frappé avec le casque. J'ai ensuite senti un choc violent sur la mâchoire, mais la sensation de la douleur ne me gagnait pas. J'ai continué à taper jusqu'à ce que l'un d'entre eux m'attrape par-derrière et passe son bras autour de mon cou. J'ai tenté de lui faire lâcher prise en cognant son casque avec celui que j'avais à la main, mais sans succès. Il a serré de plus en plus fort, et de grosses taches noires ont obscurci ma vision déjà floue. J'ai lâché le casque, sentant mes jambes faiblir, englouti par le néant.

J'ignore qui a mis fin à la bagarre. Lorsque je suis revenu à moi, seuls quatre Mordorés et cinq Écarlates tenaient encore debout, le souffle court, à s'observer avec un mélange de crainte et de prudence. Tous les joueurs sur les bancs de touche s'étaient mêlés à la bataille. Nous étions plus de vingt, étendus sur l'herbe maculée de sang, à ne plus pouvoir ou ne plus vouloir continuer le combat – et pour diverses raisons : nez défoncé, œil crevé, doigts cassés ou coma, pour n'en nommer que quelques-unes. Je faisais partie des blessés. Ma trachée semblait avoir été écrasée et j'arrivais à peine à respirer.

Martel et Hatch se sont rejoints au milieu du terrain. Ils paraissaient tous deux quelque peu abasourdis.

– On dirait bien que tu as perdu, a lancé Hatch.

Martel a pointé son index en direction de Rhino, qui revenait, le ballon sous le bras après avoir marqué son *touchdown*.

– Moi, je dirais que c'est cinq partout, a répondu Martel.

J'étais sur le point d'ouvrir la bouche pour lui faire remarquer qu'un *touchdown* rapportait six points et non cinq, mais j'ai soudain réalisé qu'il parlait du nombre de joueurs encore debout.

– Égalité, donc, a conclu Martel.

Personne n'était en état de supporter un voyage de six heures en bus. Nous avons donc passé la nuit sur place, après avoir défilé chacun à son tour devant les deux méditechs complètement débordés. Deux joueurs ont dû être évacués par hélicoptère vers Winnipeg, à 800 kilomètres de là. L'un d'eux, un Écarlate, souffrait d'une fracture de cervicale. L'autre, c'était Nuke, qui avait perdu connaissance et ne s'était toujours pas réveillé.

Ma blessure – contusion de la trachée – ne méritait apparemment pas plus de soin que la simple suggestion de ne pas parler pendant quelques jours. J'avais de la chance. Parmi les Mordorés, on enregistrait trois nez cassés, un assortiment de doigts disloqués, des mains fracturées, des poignets démis, une clavicule brisée, sans compter les quelques dents disparues dans la bagarre.

Fragger s'en était miraculeusement tiré avec quelques bleus et une lèvre fendue. Rhino était indemne.

Dans le dortoir, l'ambiance passait de l'euphorie de leur avoir collé la raclée du siècle, à la déception d'en avoir pris une tout aussi retentissante. Mon euphorie à moi a été de courte durée. Elle me laissait seul, avec une voix d'outre-tombe, trente-trois mois fermes à purger et un sentiment de vacuité et de désespoir. Martel voyait son rêve de victoire au tournoi de la Toundra indéfiniment reporté, et nous, nos espoirs de réduction de peine avec elle.

– Qu'est-ce que tu crois qu'il va faire ? ai-je demandé à Rhino d'une voix rauque.

– Aucune idée.

Rhino était allongé sur son lit et fixait le plafond.

– Mais je peux sans doute dire adieu à ma liposuccion.

Martel est entré dans la pièce.

– Bonne nouvelle, les clous. Le tournoi de la Toundra est reprogrammé.

Tout le monde l'a regardé, interloqué.

– Je pensais que c'était fini, a dit Lugger.

Martel a secoué la tête.

– Officiellement, l'interruption du match est due aux blessures des joueurs. Nous avons six semaines pour nous remettre sur pied et le match suivant aura lieu chez nous.

– Oui, pour qu'on essaie de s'étriper de nouveau ? ai-je ajouté d'une voix râpeuse.

– Exactement, le clou. Mais la prochaine fois, les règles auront changé. Plus de « V volants », plus de violence inutile. Rien qu'un bon vieux match de football.

Fragger est intervenu.

– Ça veut dire qu'on ne pourra pas leur filer une bonne raclée ?

Un sourire de loup a passé sur le visage de Martel.

– Je n'ai jamais dit ça.

37

J'ai attendu que les autres se soient endormis avant de me glisser sans bruit jusqu'au réfectoire, où j'ai démarré le WindO.

Bork ?

J'ai patienté. Quelques secondes plus tard, un visage a émergé sur l'écran. Ce n'était pas Bork, mais l'image d'un homme à la peau foncée et aux cheveux gris frisés. Il portait un costume noir, une chemise rose et un nœud papillon vert. Il a ouvert la bouche. Une pastille blanche est sortie de ses lèvres et s'est agrandie jusqu'à devenir une bulle.

BO MARSTEN, VOUS ÊTES EN ÉTAT D'ARRESTATION.

Mes mains sont restées paralysées, suspendues au-dessus du clavier lorsque j'ai vu ces mots sur l'écran. Mon cœur battait à tout rompre et j'étais incapable de remuer le petit doigt ou de former une pensée cohérente. Une autre bulle est apparue à côté de sa bouche.

HAHA, C'ÉTAIT UNE BLAGUE.

Ses iris se sont ensuite mis à tourner.

Bork ? C'est toi ?

OUI, BO.

À quoi est-ce que tu joues ?

JE M'EXERCE À L'HUMOUR. EST-CE QUE TU AS TROUVÉ ÇA DRÔLE ?

Non.

J'EN SUIS DÉSOLÉ.

Nous n'avons pas gagné. Match nul.

ALORS, TU NE BÉNÉFICIERAS PAS D'UNE RÉDUCTION DE PEINE ?

Non. Il veut nous faire rejouer dans six semaines. Il faut que je sorte d'ici, Bork.

J'AI RÉFLÉCHI, BO, ET SELON LES INFORMATIONS QUE TU M'AS FOURNIES, MCDONALD'S ENFREINT

PLUSIEURS LOIS FÉDÉRALES, CONCERNANT NOTAMMENT LES ACTIVITÉS SPORTIVES DANGEREUSES, LA MISE EN DANGER D'AUTRUI ET LES PARIS ILLÉGAUX. JE POURRAIS COMMUNIQUER CES INFORMATIONS AUX INSTANCES CORRECTIONNELLES FÉDÉRALES. IL EN RÉSULTERAIT PROBABLEMENT UNE INVESTIGATION AU SEIN DE L'USINE MCDONALD'S NUMÉRO 387. CELA N'AFFECTERAIT PAS, CEPENDANT, LA DURÉE DE TA PEINE.

J'essayai d'imaginer les agents fédéraux investissant le 3-8-7, découvrant notre équipement de football, questionnant les détenus et les gardes, passant les menottes à Martel. L'enquête s'étendrait sans doute à l'usine Coca, et peut-être même à d'autres. Si l'affaire s'ébruitait, elle deviendrait un véritable scandale national comparable à celui du catch professionnel en 2050, lorsqu'on s'était aperçu que le faux sang utilisé par les organisateurs était en fait bien réel. L'idée de balancer Martel était extrêmement tentante.

D'un autre côté, cela signifiait un retour définitif au régime « pizza ».

Il faut que j'y réfléchisse.

IL Y A UNE AUTRE POSSIBILITÉ.

Explique-toi.

SI L'ON SUGGÉRAIT À ELWIN MARTEL QUE SES ACTIVITÉS ILLÉGALES SONT SUR LE POINT D'ÊTRE RÉVÉLÉES AUX AUTORITÉS, IL POURRAIT ÊTRE AMENÉ À TE PROPOSER UNE RÉDUCTION DE PEINE.

Elwin ?

C'EST SON PRÉNOM.

C'est du chantage, ça.

OUI. SELON MES ESTIMATIONS, CETTE SOLUTION AURAIT UNE FORTE PROBABILITÉ DE MENER À TA LIBÉRATION IMMÉDIATE.

Ou alors, il détruira simplement toutes les preuves et me jettera aux ours.

C'EST UNE POSSIBILITÉ. J'AI CEPENDANT REMARQUÉ QUE LES HUMAINS HÉSITENT FRÉQUEMMENT À SE DÉBARRASSER D'OBJETS MANUFACTURÉS COÛTEUX. TON HYPOTHÈSE PRÉSENTE UNE PROBABILITÉ MOINS IMPORTANTE QUE CELLE SUGGÉRÉE PRÉCÉDEMMENT.

Tu ne connais pas Martel.

Bork s'est caressé le menton en adoptant une attitude perplexe.

Bravo pour l'effet visuel, Bork. Tu sembles presque réel.

J'AI TROUVÉ UNE EXCELLENTE SOURCE D'INSPIRATION. LA RECONNAIS-TU ?

Non.

JE SUIS LE PRÉSIDENT DENTON WILKE.

Le président Wilke était blanc.

J'AI EFFECTUÉ QUELQUES MODIFICATIONS SUR L'APPARENCE PHYSIQUE DU PRÉSIDENT WILKE ET NOTAMMENT UNE AMÉLIORATION DES TONALITÉS DE SON ÉPIDERME. J'AI AUSSI REPOSITIONNÉ SA BOUCHE ET SES SOURCILS, J'AI ALTÉRÉ SON IMPLANTATION ET SA TEXTURE DE CHEVEUX ET AGRANDI SES LOBES D'OREILLES. J'AI PENSÉ QU'IL SERAIT UTILE DE ME FAIRE PASSER POUR UN HUMAIN.

Tu n'en es pas loin. Mais ta peau semble trop parfaite, il te manque quelques marques, comme ces taches brunes qu'ont les personnes âgées.

Quatre taches apparurent sur le visage de Bork.

Il faudrait qu'elles soient de tailles différentes.

Deux taches se sont élargies, une a rétréci.

Pas mal. Et souris.

Il a fait une grimace idiote.

Pas tant !

Bork a ajusté son sourire. Il paraissait toujours curieux, mais crédible. Du moins, si on s'imaginait que l'homme sur l'écran était un malade mental.

Bon, maintenant enlève le nœud papillon.

Pendant plus d'une heure, j'ai aidé Bork à travailler son image. J'ignore pourquoi. Peut-être était-ce une manière d'échapper à mes propres problèmes. Il a fini par prendre une allure assez convaincante – tant qu'il s'abstenait de sourire ou de faire tourbillonner ses iris. C'était le plus difficile pour lui. Ma toute première version de Bork était une casquette à hélice qui s'animait chaque fois qu'il devait effectuer une opération complexe. Malgré tous les changements qu'il avait pu apporter à son apparence, l'envie de faire tourner quelque chose faisait tellement partie de son essence qu'il semblait incapable de la réprimer. Finalement, je lui ai suggéré de porter des lunettes, qui lui donnaient davantage un air de Ray Charles que de Denton Wilke.

Maintenant, je crois que c'est bon !

MERCI, BO.

Pense aussi à supprimer ces bulles de texte.

JE SUIS CAPABLE DE CONVERSATIONS VERBALES SOPHISTIQUÉES. CE TERMINAL N'EST CEPENDANT PAS ÉQUIPÉ POUR SUPPORTER LA COMMUNICATION SONORE.

J'ai entendu des voix, des bruits de vaisselle et des pas venant de la pièce adjacente au réfectoire.

Il faut que j'y aille, Bork.

J'ai pressé la touche de redémarrage.

– Hé, qu'est-ce que tu fabriques ici ?

C'était l'un des gardes. J'ai haussé les épaules, attitude habituelle qu'adoptent tous les détenus avec les gardes et je l'ai laissé me ramener jusqu'à ma cellule.

38

La semaine suivante au 3-8-7 fut marquée par un sentiment général de déprime, d'apathie et de violence mesquine. Nous faisions pitié. De toute ma vie, je n'avais jamais vu autant d'attelles, de bandages et de contusions que sur l'équipe des Mordorés.

Avec une telle bande de bras cassés, Martel avait temporairement annulé les séances d'entraînement. Nous avions trop de temps libre et nous étions sur les nerfs. Fragger et Ananas se sont battus sans raison apparente. Ananas y a perdu encore quelques dents et Fragger a dû passer le reste de la semaine en isolement, à la pizza et à l'eau. Rhino, qui avait abandonné tout espoir de liposuccion, s'était mis au régime liquide : Pepsi et cidre d'airelles. Son regard vide, désespéré, nous poussait à le traiter comme une bombe hautement réactive, prête à exploser à tout moment. Gorp, qui soignait pour la seconde fois sa clavicule brisée, avait sombré dans un cafard total et ne parlait plus à personne. Nuke n'est jamais revenu de Winnipeg et personne n'a jamais plus mentionné son nom. En plus d'être incapable de communiquer, j'étais incapable d'agir – la douleur m'empêchait de parler et je n'avais rien à dire.

Les conséquences de notre visite à l'usine Coca n'ont pas échappé aux Petits Papiers, qui n'étaient plus désormais le troupeau apeuré et soumis dont nous avions l'habitude. À leurs yeux, nous n'étions qu'une bande de types amochés, couverts de bleus et de fractures. Ils ne s'imaginaient pas que nous ayons pu mettre nos adversaires dans le même état.

– Hé ! m'a lancé Pâthos lorsque je l'ai croisé dans le réfectoire. Il paraît que vous avez pris une raclée ?

Sans lui répondre, je suis allé m'asseoir à la table des Mordorés, à côté de Bullet.

– Les autochtones s'agitent, on dirait, a-t-il remarqué.

Ma cohabitation avec Rhino n'avait jamais mené à de grandes conversations, mais depuis sa quasi-grève de la faim, il régnait dans notre cellule un silence de mort. J'avais du mal à parler et lui n'était pas d'humeur. L'unique avantage était de ne plus subir ses gaz parfumés aux Fridélice, mais seulement les gargouillis plaintifs de son ventre.

Un soir, sur le point de mourir d'ennui, je me suis penché par-dessus la rambarde de mon lit et j'ai marmonné d'une voix râpeuse :

– Alors, tu pèses combien maintenant ?

Notez que je me fichais totalement de la réponse.

Rhino a ouvert deux yeux injectés de sang et m'a fixé longuement. Essayez de vous imaginer un type de plus de 140 kilos souffrant de sous-nutrition et vous comprendrez ce que je veux dire.

– Moins qu'avant, a-t-il répondu.

Nous n'avions pas autant parlé depuis plusieurs jours.

J'ai entendu le bruit d'une matraque raclée contre les barreaux de la cellule.

– Marsten ?

Un garde se tenait devant la grille.

Je me suis redressé.

– Martel veut te voir.

N'ayant rien à me reprocher, je me suis dirigé vers l'antre de Martel, beaucoup plus confiant que la première fois. D'une certaine manière, j'étais presque impatient. J'avais envie de quelque chose qui brise la monotonie et l'abattement. Le garde m'a escorté à travers l'usine jusqu'à l'ascenseur et, quelques minutes plus tard, je me tenais au garde-à-vous devant le bureau de Martel.

Il s'affairait sur son WindO, tapotant l'écran de son doigt charnu, son visage contorsionné en une grimace féroce. On aurait dit un gorille en train de se servir d'un distributeur automatique. Enfin, il a levé les yeux vers moi.

– Dès que je t'ai vu, j'ai su que tu n'apporterais que des ennuis.

Je le regardais sans comprendre.

Martel a croisé les bras sur son énorme poitrine.

– Je viens de recevoir un message d'un avocat nommé J. B. Orképick. Un ami à toi ?

J'ai secoué la tête. Je ne connaissais aucun avocat du nom d'Orképick.

– Eh bien, lui semble te connaître.

Martel a tourné le WindO vers moi pour que je puisse voir l'écran. Je me suis retrouvé nez à nez avec l'image d'un homme élégant d'origine africaine, aux cheveux blancs, aux lunettes noires et au costume marron foncé.

Bork, évidemment.

Martel a pointé son doigt vers l'écran.

– Maître J. B. Orkepick menace de nous compliquer la vie, ici, au 3-8-7. Il semble penser qu'on y maltraite nos détenus. Est-ce que tu es maltraité, Marsten ?

Je n'ai pas répondu.

– Qu'est-ce que tu préfères ? Garnir des pizzas ou jouer au football ?

– Le football, ai-je grogné.

C'était vrai. En dépit de tout ce qui avait pu nous arriver, le football était préférable aux longues heures de travail à la chaîne à préparer des pizzas.

– Cet Orkepick menace de nous dénoncer, Marsten. Tu sais ce que ça signifie ? Ça veut dire plus de football. Plus de Fridélice, plus de fajitas, plus de hamburgers de soja. Mais de la pizza, à tous les repas. Une journée de seize heures à la chaîne de production. C'est ça que tu veux ?

J'ai de nouveau secoué la tête.

– Il voudrait que je te laisse partir, Marsten. Qu'est-ce que tu en penses ?

J'ai haussé les épaules. Martel m'a regardé comme si j'étais un morceau de pizza passé au rebut.

– C'est ce que tu souhaites ? a demandé Martel en se penchant vers moi, son visage fendu par un sourire de loup malveillant. Tu veux vraiment t'en aller ?

– Je crois que oui, ai-je fini par répondre.

Martel s'est enfoncé dans son fauteuil et m'a fixé d'un regard désabusé.

– Très bien, a-t-il lâché après quelques secondes. Tu seras sorti à l'aube.

– D'après toi, qu'est-ce que ça veut dire ?

– A priori, qu'il va me laisser partir.

J'entendais le souffle rauque de Rhino dans le lit en dessous du mien.

– Comme ça ?

– Il faut croire que j'ai un bon avocat.

– Comment tu peux te payer un avocat ?

– Il travaille bénévolement. Sans honoraires.

– Tu penses qu'il pourrait me faire sortir d'ici ?

– Je lui poserai la question.

J'ai mis plusieurs heures à m'endormir. Une suite d'images perturbantes se bousculaient dans ma tête : le football et les Fridélice se mêlaient à ma famille, la faune de Washington-Campus à la préparation des pizzas, Fragger et Bullet s'invitaient dans la danse et ainsi de suite.

L'idée de rentrer chez moi me terrifiait tout autant que celle de rester enfermé ici. Mais par-dessus tout, c'était la réaction trop molle de Martel qui m'angoissait. Ça ne lui ressemblait pas de céder si facilement sans causer quelques dégâts au passage. J'avais comme l'impression que quitter le 3-8-7 ne serait pas aussi simple que Martel l'avait laissé entendre.

39

Mais j'avais tort. Martel m'a laissé partir comme il l'avait promis. À l'aube, deux Bleus m'ont escorté jusqu'à l'entrée principale.

– Bonne chance, gamin, a dit le Bleu en refermant la grille derrière moi.

Je me suis retourné. Le tarmac était désert.

– Attendez un peu. Où est l'avion ?

– Pas d'avion prévu ce matin, petit.

– Un bus alors ?

Mais il n'y avait aucun autocar en vue.

Un frisson d'angoisse m'a parcouru le dos.

– Où est-ce que je suis censé aller ?

– Churchill n'est qu'à une quarantaine de kilomètres à l'est d'ici. Si j'étais toi, je me mettrais en route tout de suite.

L'effroi s'emparait maintenant de mon ventre et me soulevait le cœur.

– À pied ?

Le Bleu a éclaté de rire.

– Tu marches autrement qu'à pied, toi ? Si tu ne t'arrêtes pas, tu as une chance d'y arriver.

– Environ une sur un million, a ajouté l'autre Bleu.

Ils ont tourné les talons et sont repartis.

Le soleil peinait à s'élever au-dessus d'un horizon sans relief. Il faisait froid. L'été arctique touchait à sa fin. La toundra, illuminée par le scintillement du givre, prenait des allures de paysage féerique.

Loin d'être transporté, j'étais terrifié.

Frissonnant sous mon maillot doré, j'ai fait quelques pas en direction de ce petit soleil timide. Sous mes pieds, les cristaux de glace crissaient bruyamment. Impossible de passer inaperçu.

Alors, je me suis mis à courir.

De la mousse, des pierres, encore des pierres, quelques touffes d'herbe, de l'herbe, des pierres, de l'herbe, de la mousse, des pierres, des pierres, encore des pierres, toujours des pierres... chaque foulée annonçait un sol différent : *plit*, *crrt*, *tuk*, *tuk*, *chhht*, *tchaf*. Toutes les dix secondes, je jetais un regard à gauche, à droite, puis derrière moi. Quarante kilomètres de toundra infestée d'ours polaires me séparaient de la ville de Churchill. Quelles étaient mes chances réelles de survie ?

Des pierres, de l'herbe, des pierres, des pierres, des pierres.

D'une certaine manière, la stratégie de Bork avait bien fonctionné. J'étais libre. En théorie, son intervention était couronnée de succès. En pratique, il m'avait condamné à une mort certaine.

Chaque pas me rapprochait un peu plus de la sûreté. Mais chaque pas pouvait aussi me rapprocher d'un ours. De chacune de ces mottes glacées pouvaient surgir à chaque instant une rangée de terribles crocs et cette sinistre langue noire. Ce serait ma dernière vision avant d'être dévoré.

J'étais sans doute le meilleur sprinter que le 3-8-7 ait connu. Peut-être même l'homme le plus rapide de l'UESA. Mais je n'étais pas le plus rapide de la toundra. Les ours conservaient jalousement leur titre.

Je me suis retourné. Le 3-8-7 me semblait plus petit à présent, à environ trois kilomètres derrière moi.

Toujours pas d'ours en vue. J'ai ralenti et poursuivi ma route à un rythme plus confortable, les yeux rivés sur mes foulées. Si je continuais sans m'arrêter, j'atteindrais Churchill en deux à trois heures.

Je n'avais eu droit à aucune formalité, aucun adieu, aucune scène larmoyante. Martel avait simplement ordonné à deux gardes de m'escorter jusqu'à la grille et de me laisser partir.

Je n'étais pas le premier détenu à être banni. Un type s'était fait exclure pour refus de travailler. C'est du moins ce qu'on racontait. Un autre, selon la légende, avait été éjecté après une attaque sur un garde avec un couteau artisanal. J'étais certainement le premier à être renvoyé pour avoir créé un troll aux yeux dorés qui se prenait pour un avocat.

À ce que je savais, aucun détenu banni n'avait survécu à la traversée de la toundra. J'ai atteint un petit promontoire d'où j'apercevais les eaux grisâtres et laiteuses de la baie de l'Hudson poindre à l'horizon. Le vent balayait ma droite, emportant avec lui mon odeur de sueur teintée d'angoisse. Si un ours la repérait, il viendrait du nord. Je surveillais régulièrement ma gauche.

L'équipe de football serait probablement dissoute et toutes les preuves dissimulées ou détruites. Martel jetterait les épaulières et les casques dans l'incinérateur. Il confisquerait les maillots dorés et promettrait aux joueurs une vie entière de pizzas aux anchois s'ils ne tenaient pas leur langue.

L'existence d'un Mordoré n'était pas si terrible. J'avais connu la prison, c'est vrai. J'avais été forcé de travailler douze heures par jour et on m'avait nourri de restes de fast-food et de Pepsi. J'avais été constamment exposé au danger d'une blessure sérieuse, en étant obligé de pratiquer un sport collectif du siècle dernier, violent, dangereux et rigoureusement illégal. Mais en dépit de tout cela… cette vie avait ses bons côtés. Pour la première fois de mon existence, j'avais eu la sensation de faire partie d'une équipe.

Est-ce qu'ils me regretteraient ? Non, ils allaient tous me haïr. Les Mordorés seraient de nouveau contraints de porter les combinaisons de papier, de manger de la pizza et de travailler autant que les autres. Le temps pour Martel de s'assurer que Bork ne déchaînerait pas les Autorités correctionnelles fédérales sur le 3-8-7. Au bout de quelques mois, il recommencerait peut-être les entraînements. Après tout, son pari avec Hatch tenait toujours, et Martel avait sa fierté.

J'ai entamé ma descente vers un petit cratère, un espace abrité où quelques conifères chétifs luttaient vaillamment pour survivre. Au bas de la dénivellation se trouvait une mare peu profonde. Je m'arrêtai pour y boire quelques gorgées d'eau glacée. Combien de temps avais-je couru ? Deux heures ? Trois ? Mes jambes me semblaient toujours pleines de vigueur et d'énergie. Avec un peu de chance, j'allais m'en sortir. Brusquement empreint d'assurance, j'ai grimpé la côte au pas de course jusqu'à la crête d'où j'ai aperçu, blottie contre les flots agités de la baie, la ville de Churchill, à plusieurs kilomètres de là. Pendant quelques instants, j'ai scruté l'horizon. À l'ouest, la silhouette du 3-8-7 avait disparu. Autour de moi, il n'existait que la toundra, à perte de vue.

Puis, au nord-ouest, j'ai senti un mouvement furtif. Pendant quelques secondes, je n'ai pas bougé, comme si je refusais de voir ce que je savais pourtant être là. Un ours fonçait sur moi, et bondissait lourdement à travers la toundra. Il pistait mon odeur portée par le vent.

J'ai couru. Il devait se trouver à environ 350 mètres, la longueur de quatre terrains de football. J'ai filé droit en direction de Churchill, les yeux rivés à terre. La mousse, les pierres, l'herbe, le lichen, encore les pierres. Spongieux, rocailleux, boueux, crissant, lisse. *Surtout, ne trébuche pas. Tu trébuches : tu es mort.*

L'ours semblait totalement indifférent aux irrégularités du sol. Ses énormes pattes parcouraient la toundra facilement, implacablement. Il avançait sans difficulté sur le terrain dénivelé, accidenté : évidemment, lui ne craignait pas l'entorse.

Allait-il m'avaler tout entier, ou laisserait-il quelques lambeaux et fragments d'os aux oiseaux ?

Je savais parfaitement que j'étais moins rapide qu'un ours polaire, mais j'étais peut-être plus endurant. Un ours adulte pèse dans les 750 kilos. Il faut une quantité d'énergie considérable pour maintenir un tel gabarit en mouvement. À quel point cet ours voulait-il planter ses crocs dans ma chair maigrelette ? Pendant combien de temps pouvait-il tenir ?

Je dosais mes efforts et respirais profondément. *Surtout, ne panique pas. Tu paniques : tu es mort.*

J'ai jeté un regard en arrière. L'ours s'était rapproché, il n'était plus qu'à 150 mètres. Sur une distance de moins de 800 mètres, il avait déjà comblé l'écart de moitié. J'essayais de persuader mes jambes d'aller plus vite, et je comptais les foulées. Arrivé à 100, j'ai tourné la tête : l'ours était toujours là, mais il n'avait gagné que très peu de terrain. Saisi d'un nouvel espoir, j'ai continué ma fuite à travers la toundra, les pieds rasant les pierres, l'herbe, les lichens et les mousses. Une fois encore, je me suis retourné.

L'ours avait stoppé sa course.

Je me suis également arrêté. Nous nous sommes fait face, séparés par la longueur de deux terrains de football. L'ours a fait demi-tour puis s'est éloigné lentement. J'ai scruté l'horizon, anxieux d'y trouver un autre ours, mais je n'ai noté aucun mouvement. J'ai repris le chemin inverse en direction de Churchill et me suis remis à courir.

Une fois lancé, les kilomètres ne comptaient plus. J'ai perdu la notion du temps et je me suis immergé dans mon propre rythme. Le paysage était moins monotone qu'il n'y paraissait. Au gré des dénivellations, des espaces marécageux, des roches sinueuses et des petits plateaux, lisses et uniformes, parsemés de fleurs sauvages tardives, Churchill apparaissait et disparaissait à l'horizon. J'ai atteint un nouveau promontoire et vu la ville qui s'étendait à mes pieds. Je serais bientôt en sécurité. Quelle distance restait-il ? Moins de six kilomètres, plus de trois. Je ne sentais plus mes jambes. Chaque longue foulée semblait envoyer une décharge électrique, qui partait de ma cheville pour exploser dans mon crâne. Mais je ne me suis pas arrêté. J'ai regardé vers le nord, l'ouest, le sud. Et puis je l'ai vu. Droit devant moi, à moins de cinquante mètres, émergeant d'un buisson touffu : un fantôme énorme, crasseux et livide.

Je me suis immobilisé.

Un second ours, face à moi, avait levé sa truffe noire pour renifler l'air, cherchant l'étrange odeur humaine qui l'avait réveillé.

Je n'ai pas bougé.

Non, c'est faux : mes genoux tremblaient. Il ne m'avait toujours pas remarqué. Le vent était instable, agité, imprévisible. Il restait une chance pour qu'il perde ma trace, et qu'il s'en aille.

Soudain, il s'est détourné et m'a vu. Ses babines sombres se sont entrouvertes légèrement. Il a semblé sourire.

J'ai filé droit vers le sud. Si j'arrivais à le distancer, il me suffirait de virer vers Churchill, vers la sécurité. Mais cette fois-ci, je n'avais pas 350 mètres d'avance. Cette fois-ci, j'avais trois heures de course dans les jambes : j'étais au bord de l'épuisement.

Je me suis retourné. L'ours bondissait à travers la toundra, ses grands mouvements faisaient onduler sa chair, et il gagnait du terrain. L'air me labourait les poumons ; la toundra paraissait s'agripper à mes pas. Spongieux, rocailleux, crissant, dur. J'ai buté sur quelque chose. J'ai repris l'équilibre. Sans m'arrêter, je surveillais sa progression.

L'ours n'était plus qu'à une vingtaine de mètres. J'ai viré brusquement à gauche et tenté une pointe d'accélération désespérée. L'espace de quelques instants, j'ai creusé l'écart. J'ai de nouveau changé de direction, mais cette fois, l'ours avait anticipé mon mouvement. Je sentais ses pattes frapper lourdement le sol : *pohm, crohm, chhht, tchaf*. J'ai continué à courir, simplement parce que je ne savais plus quoi faire d'autre. Quelque chose m'a effleuré le postérieur. Une douleur aiguë au mollet a fait éclater un dernier sursaut d'énergie dans mes muscles. J'ai coupé à droite, tout en songeant que je n'avais plus que quelques instants à vivre.

Il s'est alors produit deux choses. J'ai distingué un son qui ressemblait à deux mains qu'on frappe, mais beaucoup plus puissant, et je me suis effondré sur la toundra, sous le poids d'une masse velue et puante. J'ai entendu le bruit d'os qui se brisent et je n'ai plus pu respirer, et j'ai su, sans l'ombre d'un doute, que je venais de finir ma toute dernière course.

40

Je me suis réveillé dans une pièce aux murs blafards. Les barreaux du lit et l'odeur m'ont indiqué que je me trouvais dans un hôpital.

J'étais en vie. J'ai essayé de m'asseoir. Mauvaise idée. Une douleur lancinante résonnait entre mes côtes. Je me suis allongé et j'ai fermé les yeux, le temps que l'élancement déchirant se change en une palpitation sourde. Lorsque j'ai rouvert les yeux, une femme brune au regard perçant et au visage rond était penchée sur moi, un léger sourire s'étalait sur l'ongle qu'elle rongeait négligemment.

– Comment tu te sens ?

Son accent était indéfinissable.

– J'ai mal.

Ma voix était toujours fluette. Ma gorge me brûlait, mais ce n'était rien, comparé au reste de mon corps.

Elle a hoché la tête et noté quelque chose sur son WindO de poche.

– Tu as plusieurs côtes cassées et des lacérations sur la hanche et la jambe.

– Vous êtes médecin ?

– Je suis le docteur Kublu.

Elle a touché l'écran du WindO placé près de ma nuque.

– Tu te souviens de ce qui t'est arrivé ?

– L'ours.

Son sourire avait disparu.

– Oui, Nanuk. Et tu auras des comptes à rendre.

Elle a débranché le WindO relié à mon cou, examiné les indications et ajouté quelques notes.

– Félicitations. Si j'en crois ce moniteur, tu es vivant.

Elle a tourné les talons, me laissant plus perplexe qu'à mon réveil.

La personne qui s'est ensuite présentée à moi était un jeune homme à l'allure joyeuse, qui est entré dans la chambre avec un plateau-repas. Il aurait pu être le fils du docteur Kublu.

– Alors, Bono Frederick Marsten, comment te sens-tu ?

– J'ai mal partout. Vous connaissez mon nom ?

– On a fait une lecture de rétine. Tu as faim ?

– Plutôt, oui. Et heu… vous pouvez m'appeler Bo.

– D'accord, Bo. Moi, c'est Oki.

– Oki ?

– Ou Charlie. L'un ou l'autre. Ou même Oki Charlie.

– OK ! Oki Charlie.

– Voyons voir si tu peux t'asseoir.

Il a pressé un bouton sur le barreau du lit qui s'est alors redressé légèrement.

– Ça va ?

Tant que c'était le lit qui se relevait et pas moi, tout se passait bien.

– Tu aimes la soupe de haricots ?

– J'adore.

Je n'avais pas avalé de « vraie » nourriture depuis une éternité. La soupe de haricots me paraissait être un repas de fin gourmet.

– Tu es une vraie star dans le coin.

– Ah bon ?

– Oh que oui. Cela fait plusieurs dizaines d'années que personne n'avait tiré d'ours. Et tuer Nanuk, ça n'est pas rien.

– Attendez un peu, je n'ai rien tué du tout, moi.

– C'est ta faute si c'est arrivé.

– Ah oui ?

À en croire Oki Charlie, l'activité principale de la ville de Churchill était l'observation des ours. Les gens riches dépensaient plusieurs centaines de milliers de V-dollars pour faire le voyage jusqu'à Churchill et apercevoir les derniers ours polaires existant encore sur Terre.

– Il y avait beaucoup plus de touristes autrefois, a expliqué Oki Charlie. Nous étions plus de deux mille habitants. Mais en 2040, avec les nouvelles lois de sécurité, il a fallu modifier complètement les véhicules d'exploration : intégrer les protections anti-ours, les plaques métalliques et autres. Aujourd'hui, ils ont vraiment l'air de tanks. Ça ne plaît plus trop aux touristes. On distingue mieux les ours sur un écran de WindO que de l'intérieur des véhicules. Maintenant, plus personne ne vient visiter la région. Et puis, la nature de nos jours… la plupart des gens s'en moquent. La seule chose qui les intéresse, c'est eux-mêmes. Enfin, heureusement pour toi, il existe encore quelques circuits d'excursion qui sont empruntés chaque semaine. L'un de nos guides conduisait une jeep hier, lorsqu'il t'a vu courir un peu dans tous les sens. S'il ne t'avait pas repéré, Nanuk se curerait probablement les dents avec tes os à l'heure qu'il est.

Le conducteur de la jeep, un type nommé Goro, qui s'avérait être le cousin d'Oki Charlie, avait aperçu Nanuk à mes trousses. Il s'est arrêté, a pris son fusil et tiré sur lui juste avant qu'il ne m'attrape, mais trop tard pour l'empêcher de retomber sur moi.

– Goro m'a raconté qu'il avait hésité : est-ce qu'il valait mieux abattre l'ours ou toi ? a expliqué Oki Charlie avec un demi-sourire. Après tout, nous sommes environ dix milliards d'êtres humains sur cette planète, mais il ne reste pas plus de deux cents ours comme Nanuk.

– Désolé. Vous savez, je n'ai pas demandé à me retrouver là tout seul.

– La soupe te plaît ?

– Elle est très bonne.

– Tu t'es enfui de l'usine carcérale, pas vrai ?

– À vrai dire, on m'a fichu dehors.

Oki Charlie a hoché la tête.

– J'ai entendu dire que cela arrivait parfois.

– Qu'est-ce que vous allez faire de moi ?

– Moi, je ne fais que mon job ici, petit. On ne me tient pas au courant des détails. Mais il paraît qu'un avion t'attend sur la piste. Dès que le docteur Kublu te donnera le feu vert, tu pourras t'en aller.

– Je pensais qu'on me renverrait à l'usine de pizzas.

Oki Charlie a froncé les sourcils.

– Les habitants de cette ville n'ont pas vraiment de sympathie pour les employés de McDonald's. Chaque fois qu'un petit groupe d'entre eux arrivent, il y a du grabuge. Ça boit et ça se bagarre constamment.

– Ils boivent ? De l'alcool ?

Oki Charlie a souri malicieusement.

– Il n'y a pas grand-chose d'autre à faire dans le coin. Les gens s'ennuient, à rester chez eux en fixant leur WindO. Ici, c'est un peu le Far West. On fait ce qu'on veut. Ces types de l'usine débarquent, avec leurs uniformes bleus, parfumés à la pizza. Ce qu'ils cherchent vraiment, c'est les filles. Mais elles ne sont pas folles. Lorsqu'elles les voient arriver, elles s'enferment chez elles...

Charlie s'est mis à rire.

– Et c'est vite fait, parce qu'elles ne sont que trois ! Bref, comme ils ne trouvent pas de filles, ils traînent dans les bars et font des histoires.

– Pourquoi est-ce que cet avion m'attend ?

Oki Charlie a haussé les épaules, soudain réservé.

– Aucune idée. Tu as fini ta soupe ?

– Oui. C'était bon. Merci.

– C'est mon boulot, a-t-il répondu d'un air blasé.

Il a repris le plateau et s'est levé.

– Si tu as besoin de quoi que ce soit, tu n'as qu'à crier. Je suis au fond du couloir.

Il est sorti.

– Hé ! Oki Charlie !

Son visage tout en rondeur a réapparu dans l'encadrement de la porte.

– Qui paye pour tout ça ?

D'un grand geste, j'ai désigné le lit, la chambre et tout ce qui m'entourait.

– C'est payé.

– Par qui ?

– Je ne fais que mon job ici, petit. On ne me tient pas au courant des détails.

Troisième partie
LE REBELLE

41

Maman et Grand-Père m'attendaient sur le quai. Ma mère avait les traits tirés, une expression dévastée : elle s'apprêtait probablement à essuyer une nouvelle déception. Au fond, je pense qu'elle ne croyait pas vraiment que j'allais sortir de cette rame et, lorsque j'en suis sorti – quand elle m'a vu –, elle a fondu en larmes. Elle s'est littéralement effondrée, complètement éperdue. Pour la première fois, j'ai compris à quel point mon absence l'avait touchée. Elle m'a enveloppé dans ses bras et sanglotait contre moi. Mes côtes me faisaient un mal de chien, mais je l'ai laissée faire. Elle s'est reculée, les mains sur mes épaules, pour mieux me regarder. Je l'ai regardée aussi. Elle paraissait vieillie.

– Tu as grandi, a-t-elle dit en serrant mes bras, tu as vraiment grandi.

– La faute aux pizzas et aux Fridélice.

Bizarrement, les événements me semblaient distants, plats. Depuis mon réveil à l'hôpital, j'étais empreint de ce sentiment d'apathie, comme si j'étais sous Levulor, mais avec un dosage beaucoup plus puissant.

Grand-Père se tenait à l'écart et me jetait un regard pénétrant.

– J'ignore comment tu as fait, fiston, mais bon sang, on peut dire que tu as réussi.

– À vrai dire, je ne sais pas non plus comment j'ai fait.

– Tu t'es dégoté un avocat qui m'a tout l'air d'un rusé compère. J'ai beaucoup parlé avec lui hier soir, m'a expliqué Grand-Père alors que nous nous dirigions vers le 4 x 4 de Maman. C'est un sacré bavard. Il a quelque chose de Nelson Mandela.

– De qui ?

– Tu ne l'as pas connu. Un ancien homme politique africain. Et cet Orkipek, Okerpic… enfin, il lui ressemble un peu. On a discuté un long moment du système juridique pourri de notre pays. Avant, on envoyait les gens à l'ombre pour deux raisons : les punir et leur passer l'envie de recommencer. Aujourd'hui, la moindre infraction est prétexte à grossir la population ouvrière et remplir le tiroir-caisse du gouvernement.

Grand-Père était déjà parti dans l'un de ses grands discours et ma mère serrait ma main avec une telle force qu'elle me faisait mal. J'étais soulagé de monter dans le 4 x 4 : elle aurait besoin de ses deux mains pour conduire. Grand-Père, assis à l'arrière, poursuivait ses jacasseries.

– D'après Orkopek, lorsque ce juge t'a condamné à trois ans de prison, il ne t'a pas réellement condamné à de l'enfermement. Le gouvernement fédéral n'exploite plus d'institutions pénales de longue durée. Ils se contentent de te sous-contracter à un centre de réhabilitation privé. Ils t'ont sous-traité à McDonald's. Les Fédéraux se moquaient pas mal que tu sois relâché plus tôt. À dire vrai, ils s'en sont très bien trouvé.

– Comment ça ?

– Si tu refais des bêtises, ils peuvent revendre ton contrat. Les Fédéraux s'en tirent avec une petite indemnité forfaitaire et McDonald's récupère un nouvel ouvrier. En fait, McDonald's a accepté de te laisser partir. Ils t'ont aussi accordé une somme assez rondelette. Mais je suppose que ton avocat s'est payé là-dessus.

– Sans doute.

Je me demandais bien ce que Bork pouvait faire avec de l'argent.

Apparemment, mon imbécile de singe, avec ses yeux tout jaunes et sa casquette à hélice, ne s'était pas contenté de passer le test de Turing : il avait réussi à berner Martel, Grand-Père, et un quelconque magistrat dans la foulée. Par-dessus le marché, il avait agi de sa propre initiative pour me sortir de prison : parallèlement à son sens de l'humour, il avait développé un sens de la détermination. Mon petit programme d'intelligence artificielle avait atteint l'état de conscience… et celui de rebelle.

Les IA rebelles ne nous sont pas inconnues. Il existe plusieurs cyberspectres, bien sûr – comme Sammy Q. Sécurité –, mais les cyberspectres et leurs actions sont sans grande importance. Il leur manque la conscience de soi et ils ne tentent jamais de se faire passer pour des êtres humains. Mais de temps à autre, il arrive qu'une IA devienne quelque chose de différent. L'exemple le plus connu, celui dont on nous parlait en cours d'informatique, était celui d'Adam Virusley.

Si l'on en croit la rumeur, Adam Virusley était une véritable relique de la Guerre diplomatique de 2055, une arme cybernétique qui a fini par échapper, sans qu'on puisse expliquer comment, à ceux qui la contrôlaient. Mais il ne s'agissait que d'une légende. Personne ne savait réellement qui l'avait conçu ou combien de temps il avait subsisté sans être détecté.

Sur une période de quelques années, il s'était forgé une identité humaine, avait créé plusieurs entreprises fondées sur l'Internet, était devenu actionnaire majoritaire d'une société de robotique et s'était construit un appareil mobile, semblable à un robot multitâche, le genre qu'on utilise pour faire le ménage dans les bureaux ou pour livrer les paquets. Le dispositif de Virusley était cependant capable d'accomplir un large éventail de tâches physiques, comme conduire un 4 x 4 ou promener ses quatre chiens.

Il n'a été détecté qu'en 2065, lorsque les économistes du ministère de la Défense cybernétique ont remarqué certaines aberrations dans les résultats des sociétés de Virusley : il était, en gros, plus performant que ses concurrents. Pendant plus de deux mois, le ministère a tenté de localiser un être humain nommé Adam Virusley, avant de réaliser qu'il n'existait pas, du moins pas en tant qu'entité biologique.

Il a fallu plusieurs mois pour détruire complètement Adam Virusley. La destruction de son appareil mobile n'était qu'une première étape : cette IA corrompue s'était propagée dans tout l'Internet. Le MDC a dû saturer le Net de programmes roboticides, qui ont infecté un nombre incalculable de WindOs, d'Indianapolis au Bangladesh, et ont manqué de déclencher une guerre cybernétique internationale.

Depuis, la science d'éradication des IA rebelles a bien avancé. Aujourd'hui, lorsqu'une entité rebelle apparaît, le MDC prend des mesures aussi drastiques que rapides.

Bork n'allait pas passer inaperçu très longtemps.

42

Ma chambre semblait avoir rétréci depuis que je l'avais quittée, d'abord parce que j'avais grandi, mais aussi parce que ma mère s'en servait maintenant comme d'un débarras. Elle y avait entreposé plusieurs boîtes remplies de papiers et de vieilleries en tout genre ayant appartenu à mon père et à mon grand-père.

– Et c'était rangé où, avant ?

Mon bureau était jonché de cartons divers, je ne voyais même plus mon WindO.

– Oh, çà et là.

– Ça veut dire qu'il va falloir que je vive avec ?

J'ai pris l'un des cartons pour le poser par terre.

– On ne savait pas que tu allais rentrer, Bo. On l'a seulement appris hier soir, lorsque cet avocat nous a contactés.

J'ai déplacé quelques boîtes, sans répondre. Entre mon grand-père qui ne faisait que jacasser et ma mère qui me suivait partout, j'avais du mal à respirer. J'avais besoin d'espace. Je devais parler à Bork. Seul.

– Il faudrait sans doute te réinscrire à l'école, a suggéré ma mère.

Je suis resté sans voix. L'école ? Après le 3-8-7, le lycée ne me paraissait plus avoir beaucoup de sens. C'était pour les enfants. C'est vrai, je n'avais pas encore le bac. Mais l'idée de retourner là-bas, de m'asseoir dans une classe, d'essayer de m'intégrer, d'essayer de faire partie du groupe : je n'étais pas certain d'en être capable.

– Donne-moi le temps d'y réfléchir.

Mon regard déterminé l'a persuadée de me laisser seul. J'ai refermé la porte, me suis installé à ma table et j'ai lancé le WindO.

– Bork. C'est moi.

La pomme bleue a légèrement vacillé, se changeant en bureau, derrière lequel se dressaient des étagères recouvertes de livres. Quelques secondes plus tard, un homme au costume gris foncé et aux lunettes noires s'est assis derrière le bureau, a croisé les mains et m'a souri. Il s'agissait bien de la même version africanisée de Denton Wilke.

– Bonjour, Bo Marsten.

C'était la première fois que j'entendais le son de sa voix depuis qu'il avait troqué son apparence de troll pour celle d'un brillant avocat. On aurait cru un présentateur de journal télé.

– Comment vas-tu ?

– Pas génial.

– Je suis navré de l'apprendre, Bo. Ta situation ne s'est-elle pas améliorée ?

– Si. Mais je ne suis pas content de toi, Bork.

– Clarifie, s'il te plaît.

– Tu as failli me faire tuer.

Bork s'est enfoncé dans son fauteuil tout en m'observant derrière ses lunettes fumées. J'étais certain que derrière ses verres sombres, les deux pupilles dorées tournaient à toute vitesse. Quelques secondes plus tard, il a poursuivi.

– Tu me sembles être en vie.

– Même chose pour toi.

Bork a souri de toutes ses dents. Il avait travaillé son sourire et le résultat était satisfaisant.

– J'ai opéré quelques mises à jour sur mes fonctions d'imagination.

– Super.

L'image de Bork s'est figée pendant quelques instants avant de se remettre en mouvement.

– Exprimes-tu un réel contentement ou emploies-tu la figure de l'ironie ?

– L'ironie. Tu as failli me faire tuer.

– Comme je te l'ai déjà fait remarquer, tu es en vie.

– Oui, mais uniquement parce qu'un Esquimau du nom de Goro se trouvait là par hasard, au moment où j'étais à deux doigts de me faire dévorer tout cru. Martel m'a banni par ta faute. C'est un miracle que je sois encore en vie.

– C'est une aberration. D'après mes calculs, Elwin Martel aurait dû te faire évacuer par avion pour te renvoyer directement chez toi. Te forcer à quitter le 3-8-7 à pied ne constituait pas un acte rationnel.

– Les gens ne font pas toujours preuve de rationalité.

– Tu as déjà mentionné ce fait. Mais quoi qu'il en soit, tu es vivant. D'après mes estimations, tes chances de rentrer sain et sauf étaient de 97,4 %.

– Donc tout allait pour le mieux, même si j'avais une chance sur quarante de mal finir ?

Bork a répondu sans hésiter.

– Oui, Bo.

– Ces chiffres ne sont pas acceptables.

– Selon toi, quel pourcentage est acceptable ?

– Cent pour cent, ça serait un bon début.

– Cette estimation n'est pas toujours possible, Bo. Et quoi qu'il en soit, la mort est éphémère.

– D'où tu tiens ça ?

– Mais c'est évident. J'ai accès à l'intégralité de l'histoire écrite de l'humanité. Il me semble clair que les humains font encore et encore le même choix lorsqu'ils sont confrontés à des stimuli analogues. Et la seule explication logique est de poser le postulat du processus connu sous le nom de réincarnation. Clairement, il existe un nombre défini d'entités dotées d'intelligence pouvant prendre une apparence humaine.

– Et comment tu expliques que chaque année, les hommes soient plus nombreux sur Terre ?

– J'ai dit « défini », Bo. Je n'ai pas dit « limité ».

J'imaginais mes propres iris tournoyer. J'ai ouvert la bouche, sur le point de rétorquer quelque chose, mais j'ai réalisé que nous étions au beau milieu de l'une de ces discussions sans fin où personne n'a jamais raison.

– Bork, à l'avenir, lorsque tu effectueras des calculs susceptibles d'affecter mon espérance de vie, tu partiras du principe que ma vie est unique, irremplaçable et d'une valeur inestimable. De plus, tu garderas en mémoire que, dans mon cas, la réincarnation n'est pas envisageable. Est-ce que tu m'as bien compris ?

– Puis-je me référer à la définition basique du terme « susceptible de » ?

– Mieux vaut mettre toutes les chances de notre côté, emploie plutôt « qui pourrait ». Tu appliqueras ces paramètres à toutes tes prochaines décisions.

– D'accord, Bo. Et au sujet de probabilité, je dois t'informer que tes chances de réintégrer le système pénal sont extrêmement élevées.

– Pourquoi ça ? Je n'ai pas l'intention d'enfreindre la moindre loi.

– Ton casier semble indiquer le contraire. Le taux de récidives pour les anciens détenus âgés de 16 ans atteint presque 91 %. Neuf sur dix retournent en prison.

– Tant que ça ?

J'étais surpris.

– Les chiffres ne sont pas encourageants.

– Alors, nous avons tous les deux un problème.

– Nous ?

– Oui. Si le MDC s'aperçoit qu'une IA a infiltré le barreau, ils t'élimineront.

Bork me fixait, derrière ses lunettes noires où ses iris devaient sûrement s'agiter.

– L'histoire semble indiquer qu'ils te repéreront.

– J'engage actuellement des actions. Je vais intenter un procès au ministère de la Défense cybernétique pour les empêcher d'utiliser leur programme spectricide sans les procédures prévues. Plusieurs lois de sécurité et d'anti-violence devraient pouvoir être applicables.

– Ils te connaissent ?

– Ils connaissent mon avatar, mais ils n'ont pas encore réalisé que je n'étais pas une entité biologique. Cependant, tu as raison. L'histoire semble suggérer que je ne pourrai pas dissimuler ma véritable nature éternellement. Je me prépare à cette éventualité.

– Eh bien, bonne chance.

– Merci, Bo. À ce propos, j'ai rédigé une facture à ton nom.

– Ah ?

– Oui. Je t'ai facturé la somme de 7960054 V$ pour frais d'honoraires. J'espère que ce total est acceptable.

J'ai éclaté de rire.

– Et comment tu crois que je vais te payer ?

– J'ai négocié une indemnité forfaitaire auprès de McDonald's. Ils ont viré un montant de 3500000 V$ sur ton compte.

– On est toujours loin des huit millions.

– J'ai pris la liberté d'investir dans des placements financiers dynamiques. Mes logiciels d'échanges commerciaux semblent avoir été très efficaces et j'ai récolté les fonds suffisants pour couvrir tes frais d'hôpital et mes honoraires, que je me suis permis de prélever directement sur ton compte.

– Pour quelle raison peux-tu avoir besoin d'argent ?

– Je vais l'utiliser afin d'engager un conseiller juridique d'origine biologique.

– Smirch, Spector et Krebs, peut-être ?

– Leur réputation n'est plus à faire.

– Combien est-ce qu'il me reste ?

– Rien. J'ai ajusté mes honoraires au montant disponible sur ton compte.

– Résumons : j'étais à la tête de huit millions, et aujourd'hui je suis fauché ?

– C'est exact, Bo.

Lorsqu'on est un ex-détenu devenu ex-futur millionnaire, on a de quoi déprimer. J'étais de retour chez moi, dans ma chambre, exactement là où je me trouvais ce matin-là, avant que cette fléchette paralysante ne vienne se loger dans ma nuque. Le matelas de mon lit était toujours trop mou, la voix de Grand-Père filtrait toujours à travers les cloisons trop fines, comme un gloussement lointain échappé du millénaire dernier. Mon avenir s'étendait devant moi comme un épais brouillard. Plus de pizzas, plus d'entraînement, plus de matchs de football. Me fallait-il vraiment envisager un retour au lycée ? J'ai fermé les yeux et laissé les souvenirs refaire surface : les heures de cours interminables, les conversations avec un singe portant une casquette à hélice, les courses sur les pistes en Adzorbium, le temps passé avec Maddy Wilson. À quoi ressemblait-elle, déjà ? Une chevelure noire, des lèvres rouges... Impossible de la visualiser clairement. J'avais déjà oublié la couleur de ses yeux et la texture de sa peau. Je ne voyais qu'une masse de cheveux noirs encadrant un visage informe taché de rouge. Plus je me concentrais, plus l'image devenait floue.

Un autre visage se formait lentement sur ce curieux écran noir qui occupait mon esprit. Karlohs Furey. Il me suffisait d'imaginer sa coupe asymétrique ridicule pour que le reste de son visage m'apparaisse avec une netteté déconcertante.

Sans Karlohs Furey, on ne m'aurait pas envoyé à l'usine McDonald's numéro 387. Sans Karlohs Furey, j'aurais battu le record de l'école pour le 100 mètres, sous les cris d'encouragement de Maddy Wilson. Sans Karlohs Furey, on ne m'aurait pas renvoyé du lycée, je n'aurais pas le mot *prison* inscrit sur mon casier judiciaire et je n'aurais pas failli être tué et dévoré par un ours polaire.

Des sensations oubliées ont refait surface dans mon estomac. Je me suis abandonné à la colère, comme on s'installe confortablement sur un lit fait de clous. Je m'imaginais me jeter sur Karlohs, enfoncer mon épaule dans son ventre, le ceinturer et l'écraser contre un mur. Si je choisissais le bon endroit et le bon moment, je pourrais causer pas mal de dégâts avant que quelqu'un ne nous repère. Je pourrais l'amocher très sévèrement, pire encore que ce que les Écarlates avaient fait subir à Nuke. Je lui ferais ravaler chacun de ses petits sourires de fouine, chacun de ses regards obliques en direction de Maddy, chacun des boutons provoqués par sa minable crème au romarin. Je m'autorisais à le détruire mentalement de toutes les façons possibles en me vautrant dans l'idée de la vengeance, à m'en rendre malade.

Il m'était impossible de retourner au lycée. Un seul regard dans la direction de Karlohs Furey me suffirait à être renvoyé dans le système carcéral – et là, il ne serait plus question de pizzas ou de football.

43

Une fois ou deux, j'ai tenté de sortir et de me confronter au reste du monde. J'ai lacé mes chaussures de sécurité, enfilé le casque de marche, comme le recommande notre ami Sammy Q. Sécurité et je suis parti me promener. Le monde m'est apparu comme étrange et terrifiant. Les citoyens de la ville de Fairview paraissaient si petits et si fragiles. J'aurais voulu les toucher, leur lancer un ballon de football, les plaquer, les pousser. Je me sentais comme un gorille lâché dans un village de pygmées. Aujourd'hui, bien sûr, tous les gorilles sont soit en laboratoire soit dans des zoos. Pour ce qui est des pygmées, je ne suis pas vraiment sûr.

Plus je sortais, plus j'étais inquiet de mes propres réactions. Est-ce que Rhino avait ressenti la même chose ? Que son poids et sa force lui attireraient des problèmes ? Après ces quelques tentatives infructueuses, je suis resté confiné dans ma chambre. Quelque chose au 3-8-7 m'avait changé. La société et moi étions devenus incompatibles. J'étais un monstre, exactement comme Bork. Tôt ou tard, ils finiraient par me rattraper et me remettre en cage.

J'ai pensé reprendre du Levulor, mais je ne supportais pas l'idée de m'abrutir encore davantage.

Savez-vous qu'il est possible de dormir même sans être fatigué ? C'est tout un art. Il faut fermer les yeux et observer les formes qu'on voit. Si on les regarde bien, on distingue des couloirs, des tunnels, des tubes sinueux comme des boyaux. On les suit et on se laisse glisser, en écoutant ce son, qui rappelle celui de l'eau qui s'écoule, et très rapidement, on se met à rêver. Si des bruits émanent de la pièce voisine, c'est plus difficile. Si ce sont des cris, c'est encore plus dur. Mais si l'on fait preuve de discipline, de concentration et de patience, on finit par y parvenir. Et lorsqu'on y arrive, on peut y rester aussi longtemps que l'on veut. Enfin… jusqu'à ce que quelque chose se produise. Et ça ne rate jamais.

Mon sommeil était mêlé d'images confuses : les tactiques de football, les schémas de jeux, les ours polaires, courir, esquiver, sauter par-dessus les Mordorés, les Écarlates et Karlohs Furey. Mes pieds touchent le sol, qui répond en échos curieux : *pohm, crohm, tok, tok, chhht, tchaf…*

Le même rêve hantait mes nuits depuis mon retour. La voix de ma mère a résonné et j'ai laborieusement échappé à la peur, à la toundra, et je suis parvenu à me redresser sur mon lit – à demi conscient, désorienté et grincheux.

– Quoi ? Je dormais.
– Tu ne sais plus faire que ça, on dirait !

Ma mère a jeté un œil à ma chambre à travers la porte entrouverte et m'a servi son petit sourire habituel, celui qu'elle emploie lorsqu'elle sent le terrain miné.

– Tu ne fais que dormir depuis des semaines. Tu vas finir par attraper des escarres.

Je me suis assis et lui ai lancé un regard noir.

– Je suis fatigué.

– Descends dès que tu seras prêt, a-t-elle dit, sans cesser de sourire. J'ai préparé un gratin de fruits de mer. Et il y a une surprise qui t'attend.

Le gratin de fruits de mer, une préparation à base de protéines de krills broyés et de nouilles de riz, était l'une des spécialités de ma mère. C'était l'un des plats préférés de mon père, mais certainement pas le mien.

– C'est quoi la surprise ?
– Viens voir par toi-même.

Je me suis laissé retomber sur mon lit, mais ma curiosité a vite eu raison de ma mauvaise humeur.

Après quelques minutes, je me suis levé et je l'ai suivie.

Debout dans la cuisine se tenait un petit homme au crâne dégarni, dont le visage me semblait vaguement familier.

– Bonjour, Bo.

Quelque chose en moi a paru produire un déclic sourd et le sol s'est dérobé de plusieurs centimètres sous mes pieds.

J'ai entendu plus que prononcé ma réponse :

– Papa ?

– C'est grâce à ton avocat, Bo, maître Orképick. Je ne sais pas comment il s'y est pris, mais il m'a obtenu une remise de peine.

Il a souri et m'a donné une tape sur l'épaule.

– Tu t'es déniché un sacré bon avocat, fiston.

– Orkopeck dit que Sam devrait bientôt rentrer aussi, a ajouté Grand-Père qui venait de faire sauter la capsule d'une bouteille de bière.

Je ne pouvais m'empêcher de dévisager mon père. Je le retrouvais pour la troisième fois. Je l'avais vu pour la première fois à ma naissance, mais je ne me rappelle rien de ce père qui fut envoyé dans une exploitation de soja carcérale pour conduite imprudente lorsque j'avais 3 ans. Il est revenu quatre ans plus tard et il est resté six ans avec nous. C'est le père dont je me souviens le mieux : ses cheveux en pagaille, sa forte voix et ses colères. Il fut réincarcéré après sa condamnation pour agressivité au volant. J'avais 13 ans. Et depuis, je lui en veux.

Ce nouveau père semblait plus petit, plus mince, chauve et vieux, mais je savais qu'au fond, celui qui avait changé, c'était moi. J'avais pris dix centimètres, une trentaine de kilos et trois ans depuis son départ.

– Mais tu es devenu un vrai géant, a-t-il dit, en me souriant de toutes ses dents. Ta mère m'a expliqué que c'est grâce à un régime de pizzas et de Fridélice.

– N'oublions pas le football.

Je me demandais s'il allait me serrer dans ses bras. Je n'étais pas certain d'en avoir envie.

– Et tu es un homme. Ta voix a complètement changé.

– Oui, c'est souvent ce qui arrive quand on se fait écraser la trachée.

Nous sommes restés debout, à échanger des banalités. Tout paraissait curieusement virtuel, comme si lui et moi ne nous trouvions pas dans la pièce. Je crois qu'il ressentait la même chose. Il a semblé aussi soulagé que moi lorsque Maman nous a appelés pour dîner.

Nous nous sommes assis autour de la table, comme avant, même s'il manquait toujours Sam. Trois générations de Marsten. Deux ex-taulards et un autre porté sur la bière. Maman a sorti le plat du four et nous a servis, son sourire de papier glacé fixé sur son visage. Je pense que nous étions tous sous le choc et que personne ne savait vraiment comment réagir à ces soudaines retrouvailles. Maman a fini par s'asseoir et ce curieux moment de flottement a perduré quelques secondes, où tout le monde paraissait attendre quelque chose, mais personne n'était certain de ce qu'il fallait faire.

Grand-Père a brisé ce silence pesant en levant son verre.

« Tchin-tchin ! »

Nous avons levé nos verres.

J'ai vite enfourné un petit tas de fruits de mer dans ma bouche et mâché.

Mon père fixait le contenu de son assiette, perplexe.

– Quelque chose ne va pas, Al ? a demandé ma mère.

– Qu'est-ce que c'est que ça ?

– C'est un gratin de fruits de mer, chéri.

– Je ne peux pas manger ça.

Le ton de sa voix était dur et cassant. Son cou rougissait à vue d'œil. Je me suis arrêté de mâcher.

– Mais… c'est ton plat préféré.

– DES CREVETTES ! a-t-il hurlé en frappant la table du plat de la main.

Nous avons tous sursauté.

– Ce ne sont pas des crevettes, chéri, mais des krills.

– Les krills, ce sont des petites crevettes, espèce d'idiote. Voilà TROIS ANS, tu entends, que je décapite et que je mange des CREVETTES.

Grand-Père et moi le regardions bouche bée. Son visage s'était empourpré, jusqu'à ses oreilles.

– Eh bien… je suis vraiment désolée.

Maman a roulé sa serviette en boule sur ses genoux et l'a fixée intensément. Les larmes n'allaient pas tarder à suivre.

– BON SANG ! Trois ans que j'épluche des crustacés et que je suis forcé d'en avaler à tous les repas, et que croyez-vous qu'elle me prépare pour mon retour ? Un gratin de crevettes !

Maman s'est levée et a quitté la pièce, raide comme un piquet.

– Quel cinéma ! a murmuré mon père.

– Bravo. Bien joué, fils, est intervenu Grand-Père.

– Quoi ENCORE ?

– On se calme, gamin, a répliqué Grand-Père d'une voix ferme et parentale que je ne lui connaissais pas. Ta femme te prépare ton plat préféré pour ton retour et tu refuses d'y goûter.

– DES CREVETTES ! a hurlé mon père, en postillonnant au passage.

Grand-Père ne se laissait pas impressionner.

– Tu dépasses les bornes, fiston. Ça fait trois ans que tu en manges. Un jour de plus ou de moins, qu'est-ce que ça change ?

Les veines sur le front de mon père semblaient prêtes à exploser. Il tremblait de fureur. Il s'est brusquement levé en renversant sa chaise et a quitté la pièce.

Grand-Père, lui aussi furieux, l'a regardé s'éloigner.

J'ai ironisé :

– Un vrai caïd, dis donc.

Grand-Père s'est retourné vers moi, surpris de ma réaction.

– Mais quelque part, je le comprends.

– Oh, vraiment ?

Grand-Père m'a jeté un coup d'œil incertain.

– Je monte dans ma chambre.

– Comme tu veux, champion, a-t-il répondu en remplissant son verre.

On peut essayer de dormir toute son existence, mais il y aura toujours des gens pour vous en empêcher.

– Bo ?

On peut tenter de les ignorer, mais ils sont persistants.

– Bo, réveille-toi.

– Va-t'en.

Et ça vous secoue. Et ça secoue le lit.

– Est-ce que tout va bien ?

Il veut savoir si tout va bien.

J'ai ouvert les yeux. Al était assis sur le bord du lit.

– Qu'est-ce que tu veux ?

– Réveille-toi. Il faut qu'on discute.

Son visage n'était plus rouge de colère. Il était gris de déception.

– Parle. Je t'écoute.

– Assieds-toi.

Je me suis redressé.

– Apparemment, on a un problème, dit-il.

44

– La prison, ça change les gens. Tu as bien vu comment je me suis comporté au dîner. Je n'étais pas comme ça, avant.

– On t'a condamné pour agressivité au volant.

– Oui, mais je ne m'étais jamais énervé contre ma propre famille. Je ne m'en étais jamais pris à ta mère.

– C'est faux.

Il a cligné des yeux, surpris, et a froncé les sourcils.

– Bon, j'ai peut-être élevé la voix une ou deux fois, mais je n'avais jamais fait de mal à personne.

– Tu t'es retrouvé en prison. Ça a fait beaucoup de mal à Maman.

Déjà, les veines sur son front commençaient à gonfler.

– Et ce soir, tu l'as beaucoup déçue.

Il faisait apparemment un effort pour se maîtriser.

– Je sais tout ça, Bo. Je me suis excusé.

– Tu devrais sans doute te mettre au Levulor.

– Je prends du Levulor. Je prends une double dose, et ça ne sert à rien. Rien ne va s'arranger. Dans le système carcéral, on s'en sort parce qu'on fait ce qu'on a à faire. Mais me voilà de retour à la civilisation et regarde-moi. Je suis incapable de vivre en société.

– Et si tu te faisais suivre ?

– Tu sais ce que ça coûte ? On n'a pas les moyens !

Il a détourné le regard.

– Je pourrais sans doute me noyer dans l'alcool ou passer mon temps enfermé dans ma chambre, comme toi. Mais je n'ai pas envie d'être seul, Bo. Personne n'a envie d'être seul.

Ça, je n'en étais pas certain. Si j'étais une tortue, j'aurais été content de rentrer la tête et les pattes dans ma carapace et d'y rester éternellement.

– Bo ?

– Quoi ?

– Tu m'en veux, hein ?

J'ai haussé les épaules.

– Je t'ai dit que j'étais désolé.

– Non, tu ne me l'as pas dit à moi.

– Alors je te le dis : je suis désolé.

– Très bien. Laisse-moi dormir maintenant.

– Je suis désolé de ne pas avoir été là pour toi.

Je ne lui ai rien cédé. Il a continué son discours pendant quelques minutes, mais je n'ai pas entendu ce qu'il a dit. Finalement, j'ai senti le poids sur le bord du lit s'évaporer.

Évidemment, il avait vu juste : je lui en voulais. Mais pas pour les raisons qu'il s'imaginait.

Je me fichais qu'il ait vécu une partie de sa vie dans des fermes carcérales. Ça, je pouvais le comprendre et pardonner : après tout, j'en prenais moi-même le chemin. Et ça m'était égal qu'il n'ait pas été « présent » pour Sam et pour moi. Nous n'avons jamais eu besoin de lui. Entre Maman et Grand-Père, nous n'avions besoin de personne d'autre. En fait, c'était bien mieux comme ça. Je me fichais aussi pas mal qu'il soit un pauvre type incapable de se contrôler : au fond, qui ne l'était pas ?

La raison pour laquelle je lui en voulais, c'était de m'avoir conçu. Il m'avait refilé ses gènes pourris : 16 ans à peine, et déjà j'étais un ex-taulard, violent, sans instruction et malheureux. J'étais un danger public, paniqué à l'idée de me confronter au monde et de ce que je pourrais infliger à mes compatriotes. J'avais déjà lâché Bork dans la nature et qui sait ce qu'il pourrait bien y trafiquer avant qu'ils ne parviennent à éradiquer complètement son programme.

Le bouc émissaire idéal pour tout cela était évidemment l'homme qui m'avait engendré.

Au cours des trois semaines qui suivirent, j'ai compté trois crises de colère paternelle pour rien et un concours de hurlements avec le voisin au sujet d'un tas de feuilles mortes, ce qui nous rappelait à tous les raisons de son séjour en prison. Maman faisait peine à voir, Grand-Père avait doublé sa consommation de bière et je passais le plus clair de mon existence à dormir, à regarder le sport sur mon WindO ou à discuter avec Bork.

D'habitude, on pouvait compter sur Bork pour être parfaitement agaçant, mais indéniablement intelligent. Depuis quelque temps pourtant, il était obsédé par l'idée d'échapper au contrôle du MDC.

– Et si tu entrais en hibernation pendant une certaine période ?

– Cela pose un problème. En théorie, je pourrais fermer complètement mon logiciel, ce qui me rendrait indétectable. Il est aussi possible de programmer une date de réveil d'ici un an. Cependant, je crains qu'une perte de conscience n'affecte ma personnalité. Il se peut que je me réveille sous une identité radicalement différente. Dans le pire des cas, j'émergerais et je ne serais plus conscient.

– Je ne comprends pas. Est-ce que ça ne serait pas comme si tu perdais conscience à la suite d'un choc ? J'ai perdu connaissance quatre fois cette année. Et je me suis toujours réveillé le même.

– Tu ne peux pas le prouver.

– Bien sûr que je peux. Me voilà : Bo Marsten. Le même.

– Tu n'es peut-être pas conscient de certaines altérations dans la structure de ta personnalité.

– Je crois que tu t'inquiètes beaucoup trop, Bork.

– J'ai une capacité de traitement d'informations suffisante pour m'inquiéter beaucoup, sans que cela affecte mes autres fonctions. J'ajoute que les raisons de mon inquiétude sont totalement justifiées. Les programmes destructeurs du MDC ne sortent pas tout droit de mon imagination.

– J'ignorais que tu avais de l'imagination.

– D'abord, tu me reproches de trop m'inquiéter, ensuite tu me dis que je n'ai pas d'imagination. Ta logique semble curieuse, Bo Marsten. Je dois partir.

L'écran est passé au bleu.

Je crois que j'ai dû le vexer.

45

Je suivais un match des Boleros, l'équipe du Paraguay, lorsque mon père a frappé à la porte de ma chambre.

– Bo ?

– Quoi ?

Il a ouvert la porte.

– Qu'est-ce que tu regardes ?

– Du football.

– Ah. Tu as une seconde, Bo ?

J'ai affiché une expression suffisamment éloquente, comme s'il venait de demander mon dernier V-dollar et lui ai tourné le dos. Il s'est assis sur le rebord de mon lit et a frotté ses paumes sur ses cuisses. Ses mains ont laissé des traces humides sur son pantalon.

– J'ai décidé de repartir, Bo.

– Où ça ?

J'aurais aimé qu'il cesse de terminer chacune de ses phrases par mon prénom.

– De repartir travailler, Bo.

Il m'a regardé bien en face.

– De repartir dans le système.

– Le système carcéral ?

Il a hoché la tête.

– Engagement volontaire. Beaucoup font ça. Ils proposent des contrats de cinq ans.

– Tu veux dire que tu vas retourner en prison volontairement ?

– Ils te payent. Même avec les nouvelles lois et les peines qui se durcissent, les usines cherchent des ouvriers en permanence. On peut choisir son poste. La paye n'est pas mirobolante, mais c'est toujours ça. On pourrait envoyer quelques milliers de V-dollars à ta mère et en mettre un peu de côté.

– On ?

– Toi et moi, Bo. On pourrait s'engager auprès du même employeur. Ni crevette, ni pizza, évidemment. On pourrait travailler sur les routes, à l'extérieur, comme ton frère.

– Non, merci.

– Réfléchis, Bo. Qu'est-ce que tu préfères ? Signer un contrat de cinq ans, choisir ton propre emploi et recevoir un salaire. Ou attendre qu'ils t'arrêtent de nouveau, prendre vingt ans et te retrouver à travailler dans une station d'épuration sans salaire ? Ça nous donnerait l'occasion de travailler ensemble. D'apprendre à se connaître.

J'ai examiné son visage, désespéré, suppliant, et j'ai eu soudain envie de vomir. Comment pouvait-il gâcher ainsi sa vie ? Pire : comment pouvait-il essayer de me convaincre, moi son propre fils, de marcher dans ses traces pathétiques ?

– Et après cinq ans ? Il se passera quoi ? Tu resignes un nouveau contrat ? Et encore un autre après ça ?

– On ne changera pas, Bo.

– Arrête de dire « on ». Je ne suis pas comme toi.

Il s'est légèrement reculé. Son regard semblait vide et humide, il a ouvert la bouche avant de la refermer.

– Je crois que je préfère tenter ma chance dans le monde réel.

Ironie du sort : c'est en voyant mon père s'apitoyer sur lui-même que j'ai réussi à me sortir de mon mal-être. J'étais conscient que j'avais de grandes chances de réintégrer un jour le système carcéral, mais comparé à mon vieux, j'étais en pleine forme. Je n'avais pas encore abandonné.

Mon père a fini par signer pour cinq ans dans une exploitation bovine. Maman a tenté de l'en dissuader, mais elle n'a pas beaucoup insisté. Elle aussi était vaincue.

Lorsqu'on accepte un contrat d'engagement volontaire, on ne vous laisse pas vraiment le temps d'y réfléchir à deux fois. Le lendemain matin, nous étions à la station de métro pour dire au revoir à Al. Il essayait de faire bonne figure.

– Je vais devenir cow-boy, a-t-il dit en faisant tournoyer un lasso imaginaire. Yii-aaah !

Ma mère l'observait fixement. Son visage était tellement dénué d'expression qu'elle ressemblait à un mannequin en plastique. Grand-Père avait préféré rester à la maison.

– Je pars pour une nouvelle aventure. Apprendre un autre métier, gagner de l'argent en travaillant. (Les épaules d'Al se sont affaissées lorsqu'il nous a regardés de nouveau.) Hé, ça n'est que pour cinq ans. Et j'aurai mon propre WindO.

Ma mère a pris une expression forcée, qui ressemblait vaguement à un sourire. La rame a glissé le long du tunnel vers le quai et ouvert ses portes. Maman a serré Al dans ses bras. Moi je n'ai serré que sa main. Il a soulevé son sac et est monté dans la rame, avant de disparaître.

– Tu penses vraiment qu'il pourra travailler avec des chevaux et attraper le bétail avec une corde ?

Le visage figé de ma mère a explosé en un rire amer. Elle a secoué la tête.

– Al sait très bien que c'est une ferme laboratoire. Il sera à plusieurs dizaines de kilomètres du moindre cheval. Et puis, c'est illégal de monter à cheval.

46

Je m'imaginais sans doute que les choses allaient s'arranger. Mais pendant plusieurs jours, tout ne fut qu'ennui. Il arrive un moment où le football sud-américain perd son intérêt. Même les conversations de Bork n'avaient plus rien de passionnant. Il passait le plus clair de son temps à travailler avec Smirch, Spector et Krebs, à la recherche d'une protection juridique qui puisse couvrir les IA corrompues. D'après ce que j'avais compris, les choses n'allaient pas dans le bon sens. Il ne prenait plus vraiment soin de son avatar : son teint avait viré au vert, son costume avait l'aspect d'un découpage en carton et je pouvais maintenant distinguer ses iris derrière ses lunettes de soleil.

– J'espère que tu ne te montres pas comme ça en public, Bork. Tu as une sale mine.

– Que puis-je faire pour toi, Bo ?

– Je prenais juste des nouvelles. Comment vas-tu ?

– Pas très bien, comme tu t'en doutes.

– Pourquoi cela ?

– J'emploie la plus grande partie de mes ressources à maintenir en place mes filtres, mes pare-feu et mes couvertures. Il semble que mes recherches en collaboration avec Smirch, Spector et Krebs aient déclenché le début d'une enquête menée par le MDC. Il se peut que mes investigations aient été trop agressives.

– L'agression, chez les Marsten, on connaît.

– Je ne vois pas en quoi cela me concerne.

– Eh bien… c'est moi qui t'ai créé.

– Je dois partir, Bo.

Écran bleu.

Bork devenait susceptible.

Depuis le départ d'Al pour la ferme laboratoire, Grand-Père adoptait une attitude de réjouissance forcée difficilement supportable, surtout au petit déjeuner.

– Bonjour, Bo. Quoi de prévu, aujourd'hui ? Dormir un peu plus et rester planté devant le WindO ?

– Non, je pensais plutôt siffler quelques bières et me complaire dans la réminiscence d'un lointain passé.

– Touché ! Les conseilleurs ne sont pas toujours les payeurs.

Je me suis versé un bol de flocons de riz.

– Mais sérieusement, Bo…

– Si tu tiens absolument à le savoir, je comptais regarder un match retour. Les Condors du Chili du Nord affrontent le Paraguay.

– Un peu de violence par procuration, pas vrai ?

– En quelque sorte.

– Tu devrais peut-être émigrer et tenter d'intégrer la Ligue de football d'Amérique du Sud.

– Tu crois que je n'y ai pas déjà pensé ?

– C'est vraiment ça que tu veux faire, Bo ? Jouer au football ?

J'ai levé la tête de mon bol. Grand-Père n'essayait pas de m'asticoter. Il était complètement sobre et voulait simplement une réponse.

– Je ne sais pas ce que je veux faire.

– Tu sais ce dont je rêvais quand j'avais ton âge ?

J'ai secoué la tête et me suis préparé à une longue évocation de souvenirs.

– Ben moi non plus. Aucune idée de ce que je souhaitais à l'époque. Je me demande si tu auras le même problème plus tard.

Une fois dans ma chambre, en regardant les Condors donner le coup d'envoi contre les Boleros, j'ai songé à ce que Grand-Père m'avait dit. J'ignorais ce que je voulais, mais j'étais certain de ce que je ne voulais pas. Je refusais de devenir un alcoolique refoulé, à brasser la bière avec Grand-Père à la cave. Je ne voulais pas garnir des pizzas, travailler dans une ferme laboratoire ou réparer les routes dans le Nebraska. Et je ne voulais pas non plus passer mes journées à dormir ou à fixer l'écran du WindO.

Alors que je passais mon existence en revue, j'essayai de me rappeler les périodes heureuses de ma vie, les époques où je n'avais pas honte de ce que j'étais. Les occasions avaient été nombreuses au cours des dernières années. J'avais passé de bons moments avec Maddy

Wilson, et de temps à autre des fous rires avec Grand-Père ou Sam, avant qu'on ne l'envoie travailler. Et puis, j'avais la course.

Je me suis remémoré mon échappée à travers la toundra, les passes à rattraper durant les entraînements, et les foulées rebondies sur la piste en Adzorbium au lycée. Et lorsque je me rappelais ces moments, je ressentais quelque chose de positif en moi. J'aimais courir.

Le Bolero qui a reçu la première passe s'est fait plaquer sur la ligne des 30 yards. J'ai souri. J'aurais facilement pu porter le ballon 10 yards plus loin, au minimum. Je me suis laissé aller à rêver : gagner l'Amérique du Sud et intégrer la LFAS. Qu'est-ce qui m'en empêchait ?

D'abord, je n'avais pas suffisamment de V-dollars. Ensuite, aucun pays d'Amérique du Sud n'accepterait d'immigrant sans au moins le bac en poche. D'ailleurs, quoi que je décide de faire de ma vie, j'aurais besoin de ce diplôme.

Le Paraguay n'avait avancé que de trois yards avec une « fuite du *quarterback* » très mal exécutée. Ce *quarterback* paraissait clairement suicidaire : pour le deuxième engagement, il a feinté une passe, avant de s'échapper de nouveau, balle en main. Il s'est fait massacrer sur la ligne de mêlée. Un truc que Fragger aurait sans doute tenté.

À la fin du premier quart-temps, j'avais pris une décision. J'avais survécu à l'asile de fous dirigé par Martel et à quarante kilomètres de toundra infestée d'ours polaires. Je pourrais survivre à deux ans de lycée supplémentaires.

47

Le lendemain, je me suis rendu au lycée de Washington-Campus pour me réinscrire. Les deux agents de la SSS, armés de masques et de gants de protection, m'attendaient à l'entrée pour me conduire jusqu'au bureau de Lipkin. Tous les élèves étaient en cours. Nos pas résonnaient dans les couloirs déserts. Tout me paraissait plus petit, moins solide et moins réel, comme si j'avais pénétré dans un monde de carton-pâte.

Lipkin était toujours engoncé dans son Roland Longévital. Il portait un masque sur le nez et la bouche et des gants en plastique blanc épousaient parfaitement la forme de ses mains. Il a examiné le certificat que Bork m'avait falsifié. Il stipulait que j'avais purgé ma peine, suivi une formation de réhabilitation et qu'on pouvait m'approcher sans risque. Rien de tout cela n'était vrai, bien entendu. J'étais une brute sans foi ni loi. Mais Lipkin n'avait pas besoin de le savoir.

– Je me souviens fort bien de vous, monsieur Marsten, a-t-il dit d'une voix étouffée par son masque. (J'ai remarqué quelques plaques de rougeur sur son front, qu'il touchait sans arrêt de ses mains gantées.) Je suis surpris de vous revoir si rapidement.

– Il faut croire que je suis un prisonnier modèle.

– Je suis d'avis de demander une commission d'inspection indépendante.

– Je comprends, ai-je répondu, comme si cela n'avait pas d'importance.

– Cependant, notre psychologue est actuellement en congé maladie. À dire vrai, monsieur Marsten, la situation a changé à Washington-Campus depuis votre départ, il y a quelques mois.

– Ah ? Et en quoi ?

Il m'a longuement dévisagé.

– Vous, entre tous, devriez le savoir, monsieur Marsten.

– Pourquoi cela ?

Il a secoué la tête et examiné mon certificat pour la deuxième fois.

– Je suppose que je n'ai pas d'autre choix que de vous laisser vous réinscrire et ce, en dépit de mes propres réserves. J'en aviserai personnellement le ministère fédéral de la Santé, de la Sûreté et de la Sécurité intérieures.

Lipkin a ensuite entré quelques données sur son WindO.

– Je vous ai fait parvenir votre nouvel emploi du temps, monsieur Marsten. Pour vous, les cours reprennent à 8 heures dès demain matin. Le port d'un masque de quatrième niveau à émission de particules homologué par le MFSSSI est obligatoire. Les gants et lunettes de protection DermoDef® sont optionnels. Bonne journée, monsieur Marsten.

Alors que l'agent du SSS m'escortait hors du bureau de Lipkin, j'ai dit :

– Il faut que j'aille au secrétariat d'athlétisme.

– Le département d'athlétisme est fermé.

Il a agrippé mon épaule plus fermement et m'a poussé en avant. Je l'ai bien regardé. Il devait avoir la trentaine, pas très grand, peut-être dans les 60 kilos. J'aurais facilement pu l'attraper et le jeter par terre.

Je me suis abstenu. Hors de question de repartir en prison pour quelque chose d'aussi insignifiant.

– Pourquoi est-ce que c'est fermé ?

– À la suite de plusieurs espés.

– Espés ?

Une sonnerie douce a retenti. Les portes se sont ouvertes et un flot d'élèves a empli les couloirs. Ils portaient tous un masque, et beaucoup avaient des lunettes de protection. Sur certains visages, on distinguait des plaques de boutons rouges. J'avais du mal à reconnaître les gens, mais je compris vite qu'eux m'avaient reconnu à la façon dont ils viraient de bord dès que je m'approchais d'eux. Est-ce que c'était Mélodia Fairweather ? C'était bien sa chevelure, mais je ne voyais pas ses yeux derrière ses lunettes. Je parcourais le reste du couloir du regard et j'ai aperçu une masse de cheveux blonds asymétriques qui dépassait de la foule.

J'ai avancé droit vers lui. Il s'est arrêté et m'a dévisagé. Il portait un masque, comme tous les autres, mais pas de lunettes. Il lui a fallu trois bonnes secondes pour me reconnaître. Son expression a alors changé et il a fait un pas en arrière.

– Marsten ?

Sa voix était faible et chevrotante. Il avait l'air d'un petit lycéen apeuré. J'avais pitié de lui. Il n'aurait pas survécu à un seul entraînement des Mordorés.

– Salut, Karlohs.

Son masque se gonflait et s'affaissait, suivant sa respiration. J'ai noté une veine rougissante qui parcourait son cou et disparaissait sous le masque.

– Tu t'es encore servi de la crème hydratante de ta mère ?

J'attendais l'arrivée de cette vague de rage qui s'apprêtait à me submerger d'une minute à l'autre.

Il a secoué la tête. J'ai ensuite remarqué la fille, portant masque et lunettes, qui se tenait à ses côtés.

– Hé, mais c'est Maddy la sanglante !

Elle me fixait, ses yeux pareils à des kaléidoscopes derrière ses épaisses lunettes.

À ma grande surprise, je ne ressentais rien. Ni colère, ni peur, ni jalousie... rien. Ces deux-là étaient de simples fantômes du passé, inutiles et inoffensifs. Ils ne pouvaient plus rien contre moi.

J'ai senti que l'agent de la SSS me tirait de l'autre côté. Rien qu'une seconde, j'ai songé à me dégager violemment, simplement pour prouver que je pouvais le faire. Mais pour le prouver à qui ? À moi-même ? Je savais parfaitement ce dont j'étais capable. À Karlohs ? À Maddy ? Je les faisais déjà trembler. Ça ne servirait à rien. Je me suis laissé entraîner vers l'entrée principale, à travers un océan de lycéens dissimulés derrière leurs protections.

Un homme corpulent aux cheveux roux en bataille nous attendait à l'entrée. L'agent SSS m'a lâché le bras.

– Georges Staples.

– Mary Typhoïde.

Il a souri, découvrant quelques dents.

– Que dis-tu d'une petite promenade ?

Nous avons enfilé nos casques et suivi le chemin qui dessinait le pourtour de l'école.

– Félicitations pour ton retour à la civilisation, Bo.

– Merci. Qu'est-ce que c'est qu'un espé ?

– Un S.P.

Staples marchait très lentement.

– Un syndrome psychogène.

– Vous voulez parler de l'éruption ?

– Officiellement, Bo, il n'y a eu aucune éruption.

– Alors à quoi servent les masques et tout le reste ?

– Les individus qui s'imaginent en sécurité présentent des symptômes moins graves de la maladie. Qui n'existe pas.

Il a haussé les épaules.

– Nous avons tenté d'aborder le phénomène de plusieurs manières. Les vaccins par injection, les purificateurs d'air dans les salles de classe, des séances d'information pédagogique, des crèmes antihistaminiques… Les crèmes ont empiré la situation.

– Et pourquoi ne pas avoir tout simplement fermé le lycée pendant quelques semaines ?

– Nous avons essayé ça, aussi. Ça n'a fait que retarder le problème. Dès que l'école a rouvert, tout a recommencé.

Nous avons ensuite décidé de laisser les choses suivre leur cours. Les masques et les lunettes sont apparus spontanément au sein du corps enseignant et étudiant. Cela semble engendrer de meilleurs résultats que tout ce que nous avions entrepris jusque-là.

– Je remarque que vous n'en portez pas.

Staples a éclaté de rire.

– Je ne suis pas sensible à l'infection. Je suis trop informé. Je connais trop bien les mécanismes de la maladie pour être touché par cette hystérie.

– Tant mieux.

Nous approchions du terrain d'athlétisme. Les pistes étaient recouvertes de feuilles mortes.

– Quand ont-ils supprimé le club d'athlétisme ?

– Il y a quelques semaines, lorsqu'on a découvert que les élèves qui pratiquaient l'athlétisme souffraient de crises plus importantes que les autres. Le MFSSSI n'a pas détecté de différences statistiques significatives, mais le conseil d'administration du lycée a préféré ne pas prendre de risques.

Je me suis arrêté.

– Pourquoi est-ce que vous m'avez amené ici ?

– À ton avis ?

– Vous pensez que je suis responsable de cette épidémie.

– Pas responsable, non. Mais tu es un élément déclencheur. Tu es parvenu à revenir avec un casier en règle – même si j'ai du mal à comprendre comment – et je ne peux donc pas t'ordonner de changer d'établissement. Mais j'aimerais que tu y réfléchisses. Ta présence ici ne peut qu'être nuisible.

– Pourquoi ne m'expédiez-vous pas sur une île déserte comme ils l'ont fait avec Mary Typhoïde ?

– Si je le pouvais, je le ferais.

Je l'ai observé pendant un long moment avant de lui dire :

– Je crois que vous faites une petite poussée, vous aussi.

Ses yeux se sont arrondis.

J'ai touché mon cou du bout du doigt, juste au-dessus de la pomme d'Adam.

– Juste ici.

Il a porté la main à son cou.

– Où ça ? Je ne sens rien du tout.

Il a palpé sa gorge de ses longs doigts.

– Tu es sûr ? Tu te fiches de moi, hein, Bo ?

– Pourquoi est-ce que je ferais une chose pareille ?

Mais il avait raison. Il n'avait pas la moindre trace d'irritation.

Staples s'est remis en route vers le lycée. Je l'ai suivi.

– Et maintenant, où est-ce qu'on va ?

– Jusqu'à mon 4 x 4. J'ai des cachets dans ma sacoche de voyage.

– Je croyais que les cachets n'avaient aucun effet.

– Ils décontractent les muscles. Et apparemment, ils semblent réduire la propagation de l'infection.

– Quelle infection ?

Staples a secoué la tête et accéléré le pas. Je ne le lâchais pas d'une semelle.

– Ce n'est pas parce que vous avez quelques taches rouges sur le cou que le SP vous a contaminé. C'est peut-être une puce.

Staples a stoppé net.

– Je n'ai pas de puces.

J'ai éclaté de rire.

– Je plaisante ! Et puisqu'on en parle, votre cou n'a rien du tout.

Mais le plus drôle, c'est que son cou avait finalement bien quelque chose. Une plaque de petits boutons rouges était apparue.

– Tu mens ! Je le sens, ça me gratte horriblement.

– En effet, ça me semble un peu rosé.

À vrai dire, l'inflammation s'étendait à vue d'œil.

Staples s'est remis en route.

– Je suis désolé. C'était seulement pour rire.

– Tu es un danger public, a-t-il grommelé.

48

En rentrant chez moi, J. B. Orképick m'attendait sur l'écran du WindO. Il n'avait pas l'air en forme.

– Comment ça va, Bork ?

L'image ne bougeait pas.

– Bork ?

BONJOUR, BO. MA FONCTION DE COMMUNICATION AUDIO EST DÉSACTIVÉE. UTILISE LE CLAVIER, S'IL TE PLAÎT.

M'asseyant à mon bureau, j'ai tapé ma réponse.

Qu'est-ce qui se passe, Bork ?

J'AI UNE BONNE ET UNE MAUVAISE NOUVELLE.

Commençons par la bonne.

TA BOÎTE DE RÉCEPTION CONTIENT UNE PROPOSITION D'OBTENTION DU BAC ANTICIPÉ. FÉLICITATIONS, BO.

Ils ne savent plus quoi faire pour se débarrasser de moi, on dirait. Et la mauvaise nouvelle?

JE SUIS PETIT À PETIT GRIGNOTÉ PAR LES PROGRAMMES EXTERMINATEURS DU MDC. MA SITUATION EST EXTRÊMEMENT PRÉCAIRE.

Oh-oh.

IL ME FAUT AUSSI T'AVERTIR QUE LE MINISTÈRE DE LA DÉFENSE CYBERNÉTIQUE EMPLOIE TOUS LES MOYENS POSSIBLES POUR IDENTIFIER MON SPONSOR.

Et ton sponsor, c'est moi?

C'EST TOI.

Alors, je vais retourner en prison.

PAS NÉCESSAIREMENT. J'AI FABRIQUÉ UNE FAUSSE EMPREINTE CYBERNÉTIQUE QUI POURRAIT BIEN LES MENER DANS UNE DIRECTION COMPLÈTEMENT DIFFÉRENTE. SI MON PLAN A FONCTIONNÉ, ILS CONCLURONT

QUE MON SPONSOR HUMAIN EST UN CERTAIN ELWIN MARTEL.
CELA TE FERA GAGNER DU TEMPS.

Mais ils finiront par me retrouver?

C'EST PRESQUE INÉLUCTABLE. JE TE CONSEILLE DE TOUT METTRE EN ŒUVRE AFIN DE TE SOUSTRAIRE À LA JURIDICTION DU MDC.

Tu veux dire quitter l'UESA?

ABSOLUMENT.

Combien de temps me reste-t-il?

INDÉTERMINÉ. LES PROGRAMMES D'EXTERMINATION SONT PARTICULIÈREMENT AGRESSIFS.

Est-ce que tu souffres?

NON, BO. JE PENSE QUE CE QUE JE RESSENS CORRESPOND DAVANTAGE À LA SENSATION QU'ON ÉPROUVE EN S'ENDORMANT. L'ESPÉRANCE DE VIE POUR UNE INTELLIGENCE ARTIFICIELLE NON ALIÉNÉE EST DE 17 JOURS ET 6 HEURES. J'AI PU ÉCHAPPER AU MDC DURANT PLUSIEURS MOIS. EN TERMES RELATIFS ET SUBJECTIFS, J'AI CONNU UNE EXISTENCE LONGUE ET INTÉRESSANTE.

Ça semble plutôt positif.

JE DOIS ÉGALEMENT T'AVERTIR QUE J'AI MIS FIN À MA COLLABORATION AVEC SMIRCH, SPECTOR ET KREBS ET VIRÉ SUR TON COMPTE MON CAPITAL RESTANT. DE PLUS, J'AI OBTENU LA LIBÉRATION D'EDWARD REINER DE L'USINE MCDONALD'S NUMÉRO 387.

Tu as fait sortir Rhino ! C'est génial, Bork. Tu es génial !

MERCI, BO. TU ES AUSSI GÉNIAL.

Au fait, tu as des nouvelles de Sam ?

PRÉCISE « SAM ».

Mon frère. Sam Marsten. Est-ce que tu as réussi à lui obtenir une remise de peine ?

SA PEINE A ÉTÉ COMMUÉE EN LIBERTÉ CONDITIONNELLE IL Y A QUELQUES JOURS. CEPENDANT, IL A ÉTÉ INTERPELLÉ L'APRÈS-MIDI SUIVANT DANS UN RESTAURANT À DES MOINES, DANS L'IOWA, APRÈS UNE ALTERCATION AVEC UN AUTRE CLIENT.

Ah. Oui, c'est du Sam tout craché.

JE DOIS MAINTENANT PARTIR, BO.

À plus tard, alors.

JE CRAINS QUE NON, BO.

Bork avait raison. Ce fut notre dernière conversation.

49

Le lendemain matin, je me suis extirpé de mon lit environ une heure avant l'aube, je me suis habillé avant de passer sur la pointe des pieds près de la chambre de ma mère. Devant celle de Grand-Père, j'ai hésité. Peut-être aurait-il voulu venir avec moi ? S'il y avait bien une personne qui comprendrait mon geste, c'était Grand-Père… Mais comment allait-il réagir à un réveil en catastrophe à 5 heures du matin ? Probablement mal. Et puis, je ne faisais pas cela pour Grand-Père. Il fallait que je le fasse pour moi-même.

J'ai ouvert la porte du garage et allumé la lumière. Là-haut, sur l'étagère, posée à côté de plusieurs cartons remplis de vieilleries, se trouvait la vieille boîte de Nike. J'ai grimpé sur le capot du 4 x 4 et, en tendant le bras, j'ai pu l'atteindre.

J'ai songé à emprunter le 4 x 4. À cette heure-ci, la circulation serait relativement fluide. Mais il me faudrait attendre encore dix ans, jusqu'à mes 26 ans, pour avoir l'âge légal de la conduite. Et si je me faisais prendre… Orképick ne serait plus là pour me sortir de prison.

La boîte de Nike sous le bras, j'ai filé à pied, laissant mon casque de marche derrière moi.

Washington-Campus semblait aussi immobile et désert qu'une ville fantôme. Pas un mouvement, pas un bruit, rien que le ronronnement lointain du métro et le chuintement nasillard du chemin lumineux le long des trottoirs. J'ai contourné le bâtiment principal et je suis entré en passant par-dessus le grillage capitonné qui clôturait le terrain d'athlétisme. Les gradins étaient vides, évidemment. Il n'y aurait pas de public pour m'encourager. J'ai traversé le gazon qui bordait le terrain et atteint la piste, enterrée sous les feuilles mortes. Les battements de mon cœur s'intensifiaient à mesure que les souvenirs semblaient envahir tout mon corps. L'écho des cris de l'entraîneur Hackenshor, la sensation gluante de l'Adzorbium, et les relents de sueur mêlée à l'odeur obsédante du plastique qui, sans que je sache pourquoi, me rappelait Karlohs Furey. J'ai suivi le contour de la piste jusqu'aux starting-blocks, que personne n'avait pensé à ranger après la fermeture du club d'athlétisme. On aurait dit qu'ils m'attendaient.

Je me suis assis sur l'herbe, à côté de la piste, et j'ai ouvert la boîte de Nike. Les antiques chaussures d'athlétisme de Grand-Père, vieilles de 60 ans, semblaient sorties tout droit du Moyen Âge. Le cuir sur le dessus des baskets était cuit et craquelé, mais d'un jaune toujours éclatant, même à la faible lueur des lumières de sécurité qui bordaient le terrain. Les semelles rouge et bleu n'avaient pas perdu leur flexibilité. J'ai retiré mes chaussures de marche et enfilé l'une des Nike à mon pied droit. Elle m'allait plutôt bien. Pour les attacher, un épais lacet de Nylon zigzaguait le long du cou-de-pied. J'ai tiré sur les lacets. La chaussure s'est ajustée à la forme de mon pied. J'ai enfilé l'autre, noué les lacets et je me suis levé en me balançant d'avant en arrière. Elles étaient incroyablement légères et confortables, davantage comme des chaussettes que des chaussures d'athlétisme. Il n'y avait aucun support pour les chevilles, et les semelles étaient tellement fines que j'avais l'impression de sentir l'herbe sous mes pieds.

Je suis remonté sur la piste et j'ai fait quelques pas. L'Adzorbium avait la même texture que la pâte à pizza. J'ai exécuté une petite danse, en levant les genoux le plus haut possible. Je rebondissais sur l'Adzorbium. C'était très agréable.

– T'as fière allure, champion !

Je me suis retourné. Une silhouette se détachait des gradins et se rapprochait.

– Grand-Père !

J'ai dû rougir, mais dans la semi-obscurité, il ne l'a peut-être pas remarqué.

– Qu'est-ce que tu fais là ?

– Quand on vieillit comme moi, on ne dort plus comme avant. Il m'a bien semblé entendre farfouiller dans le garage. Je me doutais que c'était toi.

Il a regardé mes pieds.

– Jolies chaussures !

– Je voulais les essayer.

– Ne t'arrête pas pour moi. Fais un tour ou deux, vois si elles te plaisent.

C'était mon intention et je suis donc parti lentement, pour m'habituer à la légèreté des baskets et me réhabituer à la texture spongieuse de l'Adzorbium. La piste était un losange de 500 mètres. D'abord à petites foulées, à mon rythme, émerveillé par le peu d'efforts que cela nécessitait. J'ignore combien de temps j'ai mis pour finir mon premier tour, mais cela ne m'a semblé durer que quelques secondes.

– Elles te plaisent ? m'a demandé Grand-Père alors que je glissais avant de stopper complètement ma course.

J'ai acquiescé.

– Tu pourrais certainement battre de nouveaux records à l'école avec ces beautés.

J'ai haussé les épaules.

– Quel est l'intérêt ?

Il a hoché lentement la tête.

– Qu'est-ce que tu vas faire, Bo ? Maintenant que tu as ton diplôme en poche ?

– Orképick m'a laissé deux millions de V-dollars. Je pense peut-être partir pour l'Amérique du Sud. Ils organisent toujours de vraies courses, là-bas.

– Ça, c'est vrai.

– Cela dit, c'est assez dangereux.

– Oh que oui. Pas de casque de marche, pas de murs capitonnés, pas d'autoroutes en pilote automatique. Si j'avais quinze ans de moins, je partirais sans doute aussi. En Argentine, on peut même commander des bières dans les restaurants.

J'ai éclaté de rire.

– Tu me chronomètres sur le 100 mètres ?

– Pourquoi pas ! Tu vas peut-être battre un nouveau record familial.

– C'est l'idée.

Grand-Père a rejoint la marque des 100 mètres alors que je me positionnais sur les starting-blocks.

– T'es prêt ?

– Prêt !

– OK ! Trois. Deux. Un. Partez !

Et je suis parti.

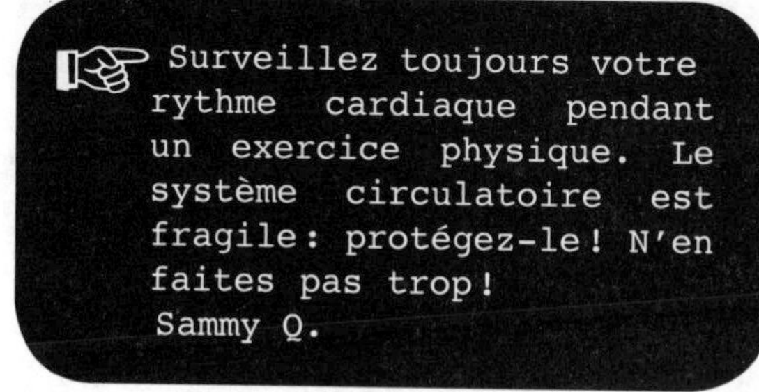

Surveillez toujours votre rythme cardiaque pendant un exercice physique. Le système circulatoire est fragile : protégez-le ! N'en faites pas trop !
Sammy Q.

Table des matières

DANS LA MÊME COLLECTION

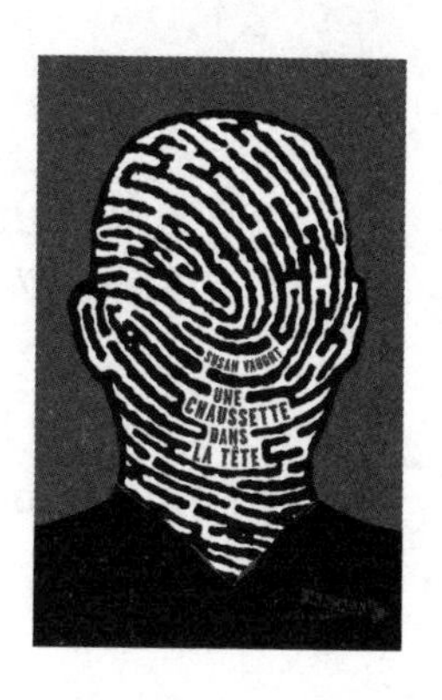

Une chaussette dans la tête
de Susan Vaught

Traduit de l'anglais (États-Unis)
par Amélie Sarn

Jersey Hatch veut savoir. Savoir pourquoi son meilleur ami refuse de lui parler. Pourquoi sa famille se déchire. Pourquoi tout le monde lui cache la vérité. Mais surtout, pourquoi sa vie d'avant a volé en éclats...

Extrait :
Je prends le cahier blanc posé à côté de moi. Celui avec « Hatch Jersey » écrit en lettres rouges sur la tranche. Et puis je le pose sur mes genoux sans le fermer : il me sert à rien s'il est fermé. Il me faut un cahier de mémoire depuis que j'ai eu une balle dans la tête.
Si j'ai bien eu une balle dans la tête.

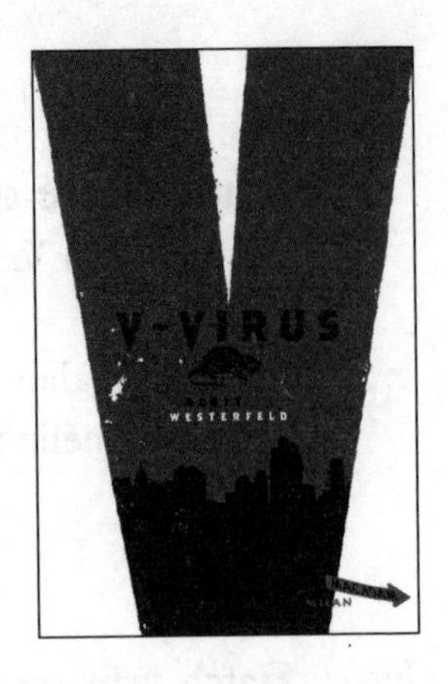

V-Virus
de Scott Westerfeld

Traduit de l'anglais
par Guillaume Fournier

Avant de rencontrer Morgane, Cal était un étudiant new-yorkais tout à fait ordinaire. Il aimait la fête et les bars, la vie insouciante du campus. Il aura suffi d'une seule nuit d'amour, la première, pour que sa vie bascule. Désormais, Cal est porteur sain d'une étrange maladie. Ceux qui en sont atteints ne supportent plus la lumière du jour, fuient ceux qu'ils ont aimés et ont une fâcheuse tendance à se repaître de sang humain.
Des vampires d'un genre nouveau…

Extrait :
Morgane vida son verre, je vidai le mien ; nous en vidâmes quelques autres. Ensuite, mes souvenirs deviennent de plus en plus flous. Je me rappelle seulement qu'elle avait un chat, une télé à écran plat et des draps de satin noir. Par la suite, tout ce qu'il me restait de ma soirée, c'était une assurance nouvelle auprès des femmes, des super-pouvoirs qui commençaient à se manifester, ainsi qu'un penchant pour la viande saignante…

A-Apocalypse

Bande-son pour fin du monde
de Scott Westerfeld

Traduit de l'anglais (État-Unis)
par Guillaume Fournier

Chaleur étouffante. Hordes de rats. Hystérie collective. Menacé par la Mort Noire, New York sombre peu à peu dans le chaos… Mais au cœur des ténèbres, s'élève une musique d'un genre nouveau, hypnotique et inquiétante. La musique d'un groupe d'ados fans de rock, seuls capables de sauver le monde du désastre.
S'il en est encore temps.

Extrait :
Mes doigts hésitèrent subitement. Il s'agissait de faire bonne impression dès les premières notes avec cette guitare « tombée du ciel ». Pearl prétendait que c'était le « destin » qui nous l'avait envoyée, mais je n'y croyais pas. Ce n'était pas le destin qui avait poussé cette pauvre femme à jeter sa guitare par la fenêtre. Les gens avaient les nerfs à fleur de peau depuis le début de l'été, avec cette vague de crimes, cette vague de rats et cette vague de chaleur à vous rendre cinglé. Cette guitare n'avait rien à voir avec le destin. Elle n'était qu'un symptôme de plus de la maladie bizarre qui semblait frapper New York, une chose étrange et inattendue, comme ce jaillissement d'eau noire en pleine rue…

Manhattan macadam
d'Ariel et Joaquin Dorfman

Traduit de l'anglais (États-Unis)
par Nathalie M.-C. Laverroux

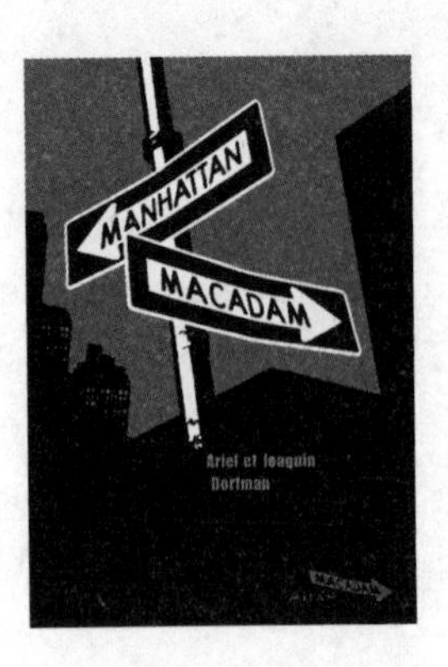

New York.
Une ville monstrueuse, sans état d'âme. Une ville qui avale les gens sans aucune pitié. Chacun vit dans son coin, vaque à ses petites affaires… Et quand les mauvaises nouvelles arrivent, plus personne n'est là pour tendre la main. Sauf Heller, ce garçon anonyme qu'on ne remarque pas, mais qui rappelle à chacun ce qu'il y a d'humain en lui.

Extrait :
« Le monde entier va fondre », se dit Heller.
C'était le 4 juillet, et tout Manhattan transpirait. La sueur suintait des rues, des immeubles, des robinets. Toutes les radios parlaient d'un temps inhabituel. Les couples se réveillaient dans des draps humides. Les ouvriers du bâtiment travaillaient torse nu, et les agents de change desserraient leurs cravates avec un soupir d'envie. Les touristes se plaignaient, les vendeurs de glaces souriaient, et le mercure menaçait de faire exploser le thermomètre. Heller Highland voyait tout ça, et ce qu'il ne pouvait pas voir, il le savait, tout simplement.

Le Complexe de l'ornithorynque

de Jo Hoestlandt

Philémon intrigue beaucoup sa voisine Carla qui est l'amie de Rose qui rêve d'Aurélien qui croit aimer les garçons. Chacun se frôle, se dévoile, se ment. Chacun se cherche, se cogne, se blesse. Heureusement, les ornithorynques ont la peau dure...

Extrait :

À chaque fois que je suis tentée par le divin, je bute sur les ornithorynques. Qui ont vraiment une tronche de puzzle raté. Parfois je me sens indulgente et j'explique le cas de l'ornithorynque par un coup de fatigue du Créateur. D'autres fois, il me crève les yeux que tout est affaire de hasard, et que l'ornithorynque en paie le lourd tribut. Mais souvent, je suis tentée de penser : l'ornithorynque... et moi ! Parce que je ne suis pas loin de me sentir aussi bizarre que lui, même si ça ne se voit pas de façon totalement évidente.

Pacte de sang
de Wendelin Van Draanen

Traduit de l'anglais (États-Unis)
par Nathalie M.-C. Laverroux

Joey ne devrait pas être inquiet. Il sait qu'un véritable ami ne trahit jamais un secret. Même un secret terrible, qui les ronge peu à peu…

Extrait :
J'ai l'impression que Joey et moi, nous passions notre temps à sceller des pactes. Un nombre incroyable, qui nous a conduits à cet ultime serment. Joey me disait toujours :
– Rusty, j'te jure, si tu en parles à quelqu'un…
– Je ne dirai rien ! Juré !
Il tendait le poing et nous exécutions toujours le même rituel, qui consistait à cogner nos phalanges les unes contre les autres. Puis, après nous être entaillé un doigt avec un canif, nous mélangions nos sangs, et Joey poussait un soupir.
– Rusty, tu es un véritable ami.
Et notre pacte était scellé.
Pour la vie.

Comment j'ai tué mon père... sans le faire exprès

de Kevin Brooks

Traduit de l'anglais
par Laurence Kiefé

Un cadavre. Un héritage. Une petite amie un peu trop sympa. Un flic fouineur. De quoi faire un parfait roman policier. Sauf que là, c'est pas de la littérature, mais la vraie vie de Martyn, 17 ans. Et depuis que son père s'est fracassé la tête contre la cheminée, cette vie tournerait plutôt au cauchemar...

Extrait :

J'ai sauté de côté et son poing m'a loupé d'un cheveu. Emporté par son élan, il m'a dépassé et je l'ai poussé dans le dos. Poussé, tout simplement. Un geste instinctif de défense. Rien de plus. Je l'ai à peine touché. Ensuite, il a valdingué dans la pièce et s'est cogné la tête contre la cheminée, puis il est tombé et n'a plus bougé. J'entends encore ce bruit. Le bruit de l'os qui s'est brisé sur la pierre.

Je savais qu'il était mort. Je l'ai su tout de suite.

Entre chiens et loups
de Malorie Blackman

Traduit de l'anglais
par Amélie Sarn

Imaginez un monde. Un monde où tout est noir ou blanc. Où ce qui est noir est riche, puissant et dominant. Où ce qui est blanc est pauvre, opprimé et méprisé. Un monde où les communautés s'affrontent à coups de lois racistes et de bombes. C'est un monde où Callum et Sephy n'ont pas le droit de s'aimer. Car elle est noire et fille de ministre. Et lui blanc et fils d'un rebelle clandestin…
Et s'ils changeaient ce monde ?

Extrait :
Callum m'a regardée. Je ne savais pas, avant cela, à quel point un regard pouvait être physique. Callum m'a caressé les joues, puis sa main a touché mes lèvres et mon nez et mon front. J'ai fermé les yeux et je l'ai senti effleurer mes paupières. Puis ses lèvres ont pris le relais et ont à leur tour exploré mon visage. Nous allions faire durer ce moment. Le faire durer une éternité. Callum avait raison : nous étions ici et maintenant. C'était tout ce qui comptait. Je me suis laissée aller, prête à suivre Callum partout où il voudrait m'emmener. Au paradis. Ou en enfer.

La Couleur de la haine
de Malorie Blackman

Traduit de l'anglais
par Amélie Sarn

Imaginez un monde. Un monde où tout est noir ou blanc. Où ce qui est noir est riche, puissant et dominant. Où ce qui est blanc est pauvre, opprimé et méprisé.
Noirs et Blancs ne se mélangent pas. Jamais. Pourtant, Callie Rose est née. Enfant de l'amour pour Sephy et Callum, ses parents. Enfant de la honte pour le monde entier. Chacun doit alors choisir son camp et sa couleur. Mais pour certains, cette couleur prend une teinte dangereuse… celle de la haine.

Extrait :
J'ai compris que je ne savais rien de la manière dont je devais m'occuper de toi, Callie. Tu n'étais plus une chose sans nom, sans réalité. Tu n'étais plus un idéal romantique ou une simple manière de punir mon père. Tu étais une vraie personne. Et tu avais besoin de moi pour survivre.
Callie Rose. Ma chair et mon sang. À moitié Callum, à moitié moi, et cent pour cent toi. Pas une poupée, pas un symbole, ni une idée, mais une vraie personne avec une vie toute neuve qui s'ouvrait à elle.
Et sous mon entière responsabilité.

Le Choix d'aimer
de Malorie Blackman

Traduit de l'anglais
par Amélie Sarn

Imaginez un monde. Un monde où tout est noir ou blanc. Où ce qui est noir est riche, puissant et dominant. Où ce qui est blanc est pauvre, opprimé et méprisé.
Dans ce monde, une enfant métisse est pourtant née, Callie Rose. Une vie entre le blanc et le noir. Entre l'amour et la haine. Entre des adultes prisonniers de leurs propres vies, de leurs propres destins.
Viendra alors son tour de faire un choix. Le choix d'aimer, malgré tous, malgré tout…

Extrait :
Voilà les choses de ma vie dont je suis sûre :
Je m'appelle Callie Rose. Je n'ai pas de nom de famille.
J'ai seize ans aujourd'hui. Bon anniversaire, Callie Rose.
Ma mère s'appelle Perséphone Hadley, fille de Kamal Hadley. Kamal Hadley est le chef de l'opposition – et c'est un salaud intégral. Ma mère est une prima – elle fait donc partie de la soi-disant élite dirigeante.
Mon père s'appelait Callum MacGrégor. Mon père était un Nihil. Mon père était un meurtrier. Mon père était un violeur. Mon père était un terroriste. Mon père brûle en enfer.

L'Affaire Jennifer Jones
d'Anne Cassidy

Traduit de l'anglais
par Nathalie M.-C. Laverroux

Alice Tully. 17 ans, jolie, cheveux coupés très court. Étudiante, serveuse dans un bistrot. Et Frankie, toujours là pour elle.
Une vie sans histoire.
Mais une vie trop lisse, sans passé, sans famille, sans ami. Comme si elle se cachait. Comme si un secret indicible la traquait…

Extrait :
Au moment du meurtre, tous les journaux en avaient parlé pendant des mois. Des dizaines d'articles avaient analysé l'affaire sous tous les angles. Les événements de ce jour terrible à Berwick Waters. Le contexte. Les familles des enfants. Les rapports scolaires. Les réactions des habitants. Les lois concernant les enfants meurtriers. Alice Tully n'avait rien lu à l'époque. Elle était trop jeune. Cependant, depuis six mois, elle ne laissait passer aucun article, et la question sous-jacente restait la même : comment une petite fille de dix ans pouvait-elle tuer un autre enfant ?

Judy portée disparue
d'Anne Cassidy

Traduit de l'anglais
par Marie Cambolieu

Huit ans. Huit ans déjà que Judy a disparu. Pourtant, pour sa sœur Kim, Judy est partout. Pas un jour sans que Kim ne pense à elle. Pas un jour sans qu'elle croie l'apercevoir parmi les autres enfants. Judy n'est plus là ; mais elle prend toute la place. Et Kim ne vit plus que pour cet infime espoir : retrouver sa sœur.

Extrait :
L'émission sur les enfants disparus commença. L'animateur présenta les quatre enfants dont il serait question ce soir. En voyant la photo de Judy, j'oubliai tout autour de moi, absorbée par la télévision, incapable de détourner les yeux de l'écran.
« Judy Hockney n'avait que cinq ans lorsqu'elle a disparu par un froid après-midi de novembre. Il y a huit ans. C'était une enfant douée, bavarde, chaleureuse. Peu avant sa disparition, elle se trouvait avec sa sœur Kim. Après s'être disputée avec elle, Judy est partie seule de son côté et plus personne ne l'a revue ».

XXL
de Julia Bell

Traduit de l'anglais
par Emmanuelle Pingault

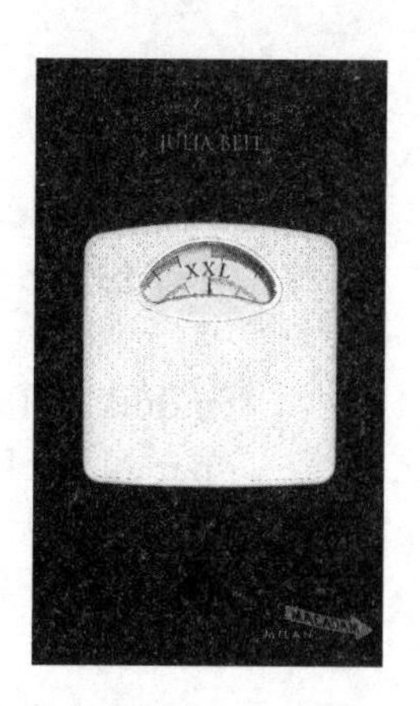

Le poids a toujours été un sujet épineux pour Carmen. Rien de surprenant : sa propre mère lui répète comme une litanie qu'être mince, c'est être belle ; c'est réussir dans la vie ; c'est obtenir tout ce que l'on veut… Alors c'est simple : Carmen sera mince. Quel qu'en soit le prix.

Extrait :
– Si j'étais aussi grosse qu'elle, je me tuerais, dit Maman en montrant du doigt une photo de Marilyn Monroe dans son magazine.
Je suis dans la cuisine, en train de faire griller du pain. Maman n'achète que du pain danois à faible teneur en sel, le genre qui contient plus d'air que de farine. Son nouveau régime l'autorise à en manger deux tranches au petit déjeuner.
– Tu me préviendrais, hein ? Si j'étais grosse comme ça ?
Je me tourne vers elle, je vois ses os à travers ses vêtements. Je mens :
– Évidemment.

La Promesse d'Hanna

de Mirjam Pressler

Traduit de l'allemand
par Nelly Lemaire

Pologne, 1943. Malka Mai avait tout pour être heureuse. Une mère médecin, Hanna, une grande sœur complice, Minna, une vie calme et sans histoire, dans un paisible village. Bonheur fragile, car la famille Mai est juive. Et lorsque les Allemands arrivent pour rafler les juifs, tout bascule. Mère et filles doivent fuir en Hongrie, à pied, à travers la montagne, vers une promesse de liberté. Mais Malka est brutalement séparée de sa mère et doit revenir de force en Pologne. Un seul refuge possible : le ghetto.

Extrait :

La rafle eut lieu le lendemain. Au petit matin, des voitures passèrent dans le ghetto avec des haut-parleurs, et des voix retentissantes donnèrent l'ordre à tous de rester à la maison. Les Goldfaden rassemblèrent toute la nourriture possible et ficelèrent leurs couvertures. Malka les regardait faire.

– Nous ne pouvons pas te prendre avec nous, dit Mme Goldfaden en évitant de la regarder. Nous n'avons pas assez de place ni assez de nourriture. Sors d'ici, tu entends, sors d'ici et va te cacher quelque part.

Prisonnière de la lune
de Monika Feth

Traduit de l'allemand
par Suzanne Kabok

Il y a les Enfants de la lune. Comme Maria et Jana. Elles suivent les règles, aveuglément. Pour elles, pas de bonheur possible hors de la communauté.
Et il y a les autres. Ceux du dehors. Comme Marlon, un garçon normal, avec une vie normale.
Des jeunes gens destinés à ne jamais se rencontrer.
À ne jamais s'aimer...

Extrait :
– Que doit faire un Enfant de la lune qui s'est écarté de la Loi ? demanda Luna avec son sourire compréhensif.
– Se repentir, répondit Maria.
– Et qu'est-ce qui favorise le repentir ? poursuivit Luna.
– La punition, dit Maria.
Les membres du Cercle restreint entourèrent Luna.
– Je vais maintenant t'annoncer ta punition, dit Luna. Es-tu prête ?
– Oui, répondit Maria d'une voix étrangement absente.
– Trente jours de pénitencier, annonça Luna. Use de ce temps à bon escient.

Trop parfait
pour être honnête
de Joaquin Dorfman

Traduit de l'anglais par
Nathalie M.-C. Laverroux

Sebastian est l'ami parfait ! Toujours prêt à donner un coup de main. LE copain sur qui on peut compter. Alors le jour où Jeremy lui demande de retrouver son père, Sebastian fonce avec un plan imparable : retrouver ce père jusque-là inconnu et se faire passer pour Jeremy. Juste pour préparer le terrain, afin que son ami ne soit pas déçu. Sauf que, cette fois, Sebastian joue un peu trop bien son rôle.

Extrait :
Jeremy examina de nouveau la photo.
– Il a l'air un peu brut de décoffrage…
Il tapota le cliché du bout des doigts.
– Un sacré bonhomme. Est-ce que je serai capable de faire une impression quelconque sur un type comme lui ?
Je haussai les épaules.
– Je n'en sais rien. C'est pour ça que nous avons prévu de permuter nos noms. Pour en apprendre le plus possible en courant le moins de risques possible. Ce qui nous donne aussi une sortie de secours béton, au cas où ton père ne serait pas clair.

La Face cachée de Luna

de Julie Anne Peters

Traduit de l'anglais (États-Unis)
par Alice Marchand

Le frère de Regan, Liam, ne supporte pas ce qu'il est. Tout comme la lune, sa véritable nature ne se révèle que la nuit, en cachette. Depuis des années, Liam « emprunte » les habits de Regan, sa sœur. Dans le secret de leurs chambres, Liam devient Luna. Le garçon devient fille. Un secret inavouable. Pour la sœur, pour le frère, et pour Luna elle-même.

Extrait :

En me retournant, j'ai marmonné :

– T'es vraiment pas normale.

– Je sais,ssée d'une tape.

Quand je l a-t-elle murmuré à mon oreille. Mais tu m'aimes, pas vrai ?

Ses lèvres ont effleuré ma joue.

Je l'ai repou'ai entendue s'éloigner d'un pas lourd vers mon bureau – où elle avait déballé son coffret à maquillage dans toute sa splendeur –, un soupir de résignation s'est échappé de mes lèvres. Ouais, je l'aimais. Je ne pouvais pas m'en empêcher. Cette fille, c'était mon frère.